KB121460

세 명의 여행자, 세 가지 쓰기에 대하여

여행은 쓰기 나름이니까

모도리 · 셔터맨 · 송송 지음

목차

마음
쓰기

여행은 결국
마음을 주고받는
여정

돈
쓰기

잘 먹고
잘 자는 것만큼
중요한 게 있을까?

추억
쓰기

이 순간을
특별하게
기억하기 위하여

프롤로그

여행기를 쓴 지 꽤 오래되었습니다. 첫 여행기는 제가 출간한 세 번째 책이었고, 쫄딱 망했습니다. 악플도 대단했습니다. 굳이 로그인하고 책 사진까지 찍어 정성껏 올려주신 악플 중에는 '내가 편집자라면 이런 쓰레기 같은 글은 집어던진다' 는 것도 있었고, '이렇게 짜증나는 인간과는 정말 상종도 하기 싫다' 는 것도 있었습니다. 물론 저는 지성인이므로 그 악플들을 모두 겸허히 수용했습니다. 그리고 속으로는 '너 같은 인간은 나도 싫다' '우리 이번 생에서는 절대로 만나지 말자' 고 실컷 욕을 했습니다. 그럼에도 가끔 제가 쓴 책 중에서 그 책을 가장 좋아한다는 독자를 만날 때가 있습니다. 감사하고 신기한 일입니다.

얼마 전에 깨닫게 된 것인데, 제 20대의 여행은 '호기심'과 '하기'에 방점이 찍혀 있었더군요. 아무도 모르는 곳에 갈수록 뿌듯했고, 심장이 쫄깃해지는 모험을 할수록 성취감이 부풀어 올랐으며, 언제나 뭔가 새로운 것이 없나 눈을 번뜩이며 헤매 다녔었지요. 마치 제가 겪은 새로운 경험들이 가슴에 달릴 보이지 않는 훈장이라도 되어줄 것처럼요.

40대가 된 지금, 여행은 다른 의미입니다. 저에게는 더 이상 보이지 않는 훈장이 필요하지 않습니다.(보이는 훈장이나 금일봉이라면 또 모를까.) 지금껏 제가 삶에서 얻은 모든 것들이 훈장이라는 걸 잘 압니다. 가족이라든가, 집이라든가, 경력이라든가, 친구라든가, 취향이라든가, 관용이라든가, 고집이라든가, 나잇살이라든가, 주름이라든가, 심지어 실패라든가, 흑역사라든가, 또는 이렇게 많은 나이 그 자체라든가 하는 모든 것들 말이에요. 그 중 무엇 하나 쉽게 얻은 것이 없습니다.

그래서 저는 이제 여행을 무슨 퀘스트 달성하듯이 하지 않습니다. 그러기에 저는 너무 피로합니다. 매번 가던 곳에 또 가는 것도, 거기까지 가서 대개 아무것도 하지 않는 것도, 그저 낯선 공간과 느리게 흐르는 시간

속에 나 자신을 놓아둬 볼 수 있게 된 것도 나이가 들어 달라진 점입니다. 무엇보다 여행에서 더 이상 특별한 무언가를 기대하지 않게 된 것이야말로 가장 큰 변화이 겠지요.

　세 작가의 여행기를 읽는 내내 즐거웠습니다. 오랜만에 한 번도 가보고 싶었던 적이 없는 장소에 가보고픈 욕망이 들끓어 올랐고, 옛 여행의 기억이 떠올라 몸서리를 치기도 했으며, 간만에 여행자의 상념에 빠져보기도 했습니다. 사실 여행기 쓰기는 쉽지 않습니다. 저에게도 가장 어려웠던 글이 여행기였습니다. 여행은 너무 특별한 체험이라서 오히려 글로 옮기기 더 어렵지요. 글을 쓰는 사람은 그 특별하고 거대한 체험에 압도당해, 전달해야 할 이야기를 제대로 전달하지 못합니다. 제 급한 성격에는 천천히, 꼼꼼히, 섬세하게 묘사하는 것도 쉽지 않았습니다. 그럼에도 어찌 저찌 여행기를 완성하고 난 후에는 단 한 번도 가보지 못한 곳에 도착한 기분이 들곤 했습니다.

　글 쓰는 일은 여행과 비슷합니다. 알지 못하는 낯선

장소에 기어이 도착하는 일, 그곳에서 고군분투한 후에 결국 집으로 돌아오는 일, 돌아온 뒤에는 어쩐지 나 자신이 조금은 달라져 버린 것 같은 일. 여러분 역시 이 여행기를 쓰는 동안 한 번도 가보지 못한 곳에 다녀온 사람이 되었기를 바랍니다. 나 자신을 조금 낯선 눈으로 바라보았기를, 나라는 존재를 좀 더 소중히 여기게 되었기를 바랍니다. 사실 그게 여행과 글쓰기의 가장 큰 선물이거든요.

2023년 9월, 한수희

Chapter. 1

마음 쓰기

여행은 결국
마음을 주고받는
여정

엄마와 딸의
알쏭달쏭한 여행

　나의 엄마와 엄마의 딸인 나의 관계는 좀 알쏭달쏭하다. 분명 작은 목소리로 시작했던 것 같은데, 엄마와의 대화는 대부분 큰 소리로 끝났다. 학교 준비물을 챙기는 일이나 친구와 만나는 일, 컴퓨터를 사용하는 일 등 별것 아닌 부분에서도 그랬다. 남는 것은 상처뿐. 반면 엄마와 나는 친한 친구 같기도 하다. 나의 속상한 이야기나 비밀을 엄마는 대부분 알고 있다. 엄마의 속상한 이야기들도 마찬가지. 묻지도 않았는데도 서로에게 이야기한다. 물론 큰 목소리로 끝나는 건 비슷하지만. 그러니까 이건 알 수 없는 관계다. 사랑하고 미워하는 애증의 관계라고 쉽게 정의하기엔 그 너머가 있는 무엇.

　'당신의 엄마가(자식이) 가장 좋아하는 음식은 무엇인가요? 엄마(자식)의 어린 시절 꿈은 무엇이었나요?'

따위의 질문을 묶어 만든 노트가 인기였던 적이 있다. 자식에 대한 질문에 엄마는 척척 답을 적지만, 엄마에 대한 질문에 자식은 대답하지 못하고 머뭇대는 모습을 담은 영상도 있었다. 그때 난 그 영상을 보면서 많이 울었다. 나도 질문에 대답할 수 없는 자식이었기 때문이다. 다양한 이유로 엄마를 원망했지만, 나도 그리 좋은 딸은 아니었던 거다.

그런 이유로 이 여행을 계획하게 됐다. 국내 여행이야 엄마도 언제든 갈 수 있었겠지만, 언어가 통하지 않는 해외여행은 엄마가 가고 싶다고 갈 수 있는 게 아니었을 테니까. 많이 멀지 않고, 한국어 안내가 많으며, 내가 먼저 가본 적이 있어서 엄마를 보살피면서도 잘 다닐 수 있을 만한 곳. 그래서 도쿄였다.

이번 여행의 포인트는 효도 관광. 내가 가본 곳 중 좋았던 곳을 골라 다시 가보고 지난 여행에서 나는 못 했던 비싸고 좋은 것들을 엄마에게는 해주겠다는 다짐. 그래서 맛집이라는 우동집을 찾아놓고, 노을을 보며 에프터눈 티를 즐길 수 있다는 호텔 라운지를 예약했다. 엄마도 나도 쇼핑을 좋아하니까 쇼핑몰을 검색해 두고,

박물관 같은 곳은 별로 좋아하지 않을 테니 제외.

결론부터 말하면 내가 세운 계획들은 전부 실패했다. 맛집이라던 우동집은 1시간씩 줄을 서야 하는 가게여서 가자마자 엄마에게 반려 당했고, 에프터눈 티도 예약한 것이 무색하게 엄마가 가지 않겠다고 고집을 부려 예약 취소, 쇼핑몰에서는 아무것도 사지 않고 나왔다.

여행 첫째 날부터 이렇게 되어버리자 화가 나기도 하고 의욕이 꺾이기도 했다. 평소라면 벌써 큰소리가 났겠지만, 이건 효도 여행. 나는 화를 낼 수 없었다. 대신 숙소에 돌아와 지친 마음으로 물었다. "엄마 내일은 어디 갈 거야?" "도쿄는 박물관 같은 데 없어?" "엄마 박물관, 미술관 이런 거 싫어하잖아?" "걷는 거 힘들어. 그런 데는 앉을 수도 있잖아. 쇼핑몰은 좀 눈치 보이더라. 그리고 너는 박물관 좋아하지?"

아, 나는 왜 진작 엄마와 상의하지 않았을까. 엄마를 데리고 다니는 효도 여행이란 감상에 취해 계획을 설명하기만 했지 엄마에게는 어디 가고 싶냐고 물어보지도 않았던 것이다. 엄마가 뭘 좋아하는지도 모르면서, 엄마에게 물어보지도 않는 바보.

다음날 도쿄 국립 박물관에 갔다. 넓게 펼쳐진 우에노 공원과 한적한 공원이 쓸쓸해 보이지 않게 하는 사람들의 목소리, 그리고 박물관 앞 오래된 은행나무. 메이지 시대에 만들었다는 박물관은 유럽 궁전 같기도, 대학 캠퍼스 같기도 해서 나무와 건물의 멋진 풍경만으로도 오길 잘했다는 생각이 들었다. 여기 참 좋다. 엄마의 목소리가 딸의 마음에 큰 위안을 주기도 했고.

기왕 이렇게 된 거 오늘은 엄마가 가고 싶은 방향으로 계속 걸어보자 싶었다. "아까 오는 길에 본 큰 장난감

가게에 가보자." 웬 장난감 가게. 캐릭터 천국인 일본에서 장난감 가게를 찾는 건 어려운 일이 아니지만 엄마는 그런 걸 좋아하지 않는데. 이번에도 엄마의 취향을 몰랐던 걸까.

"A(동생)에게 전화 걸어서 J(조카)가 갖고 있지 않은 팽이가 뭔지 물어봐." 엄마는 내가 좋아하는 박물관에 가는 길에 조카가 좋아하는 장난감을 파는 가게를 봐두었던 것이다. "그 팽이는 없는 모양인데? 내가 가서 물어볼게 엄마." "아니, 이건 엄마가 사볼래." 말을 마치고 엄마는 카운터로 갔다. 엄마의 목소리나 점원의 목소리는 들리지 않았지만, 점원의 표정과 엄마의 뒷모습은 잘 보였다. 가끔 오르락내리락하는 엄마의 두 팔과 손가락. 잠시 후 엄마가 원하는 물건을 얻었는지 내게 걸어왔다. "잘 샀어?" "응. 이쪽 건 없다고 해서 못 사고 저걸로 두 개." 엄마는 가방을 열어 조카에게 줄 팽이 장난감을 보여주었다. 손짓발짓으로 다 할 수 있다고 말하는 엄마의 표정에서 뿌듯함이 보였다. 손주에게 사랑받을 할머니가 되었다는 뿌듯함과 외국에서 그 나라 말은 못해도 하고 싶은 것을 해냈다는 뿌듯함.

"이제 갈까? 저녁은 뭐 먹지? 고기 먹을까? 좋은 데 가서 맛있는 거 먹자." 나의 말에 엄마는 편의점 에그 샌드위치를 말한다. "그거 가수 성시경이가 저번에 TV에 나와서 맛있다고 했어. 그거 먹자."

엄마의 마음은 알 수가 없다. 아니 알고 싶지 않은 걸지도 모른다. 해외여행을 하고 싶다며 여기까지 와서는 자식이나 조카를 생각하고, 비싼 것은 다 마다하는 저 마음 말이다. 물론 더 알 수 없는 마음도 있다. 저녁으로 먹겠다고 에그 샌드위치를 엄마꺼 하나, 내꺼 하나 사 왔는데 내가 샤워하는 사이 엄마가 두 개 다 먹어버렸다. "맛있어서 그랬어. 넌 젊잖아. 그러니까 다시 사다 먹어."

요즘도 엄마와의 대화는 큰 소리로 끝날 때가 많다. 그래도 이제는 '엄마는 꿈이 뭐였어?' 같은 질문을 할 수 있겠다는 생각이 든다.

하지만 엄마는 이제 무릎이 아프다. 잘 걷지 못하신다.

매콤한 인생

나는 매운 음식을 못 먹는 사람, 일명 맵찔이다. 한국에 있을 때는 매운 음식 근처에도 가지 않는 보수적인 맵찔이로 살지만, 해외에서는 매운 줄도 모르고 일단 입에 넣었다가 후회하는 개방적 맵찔이로 변모한다. 매운맛이 가시기를 가만히 기다릴 수 없을 만큼 힘들 때면 얼얼한 혀를 달래주기 위한 나만의 민간요법을 시도한다. 다 마신 음료 컵에 남아있는 작은 얼음 한 알을 입에 무는 것인데, 매운맛이 금세 사라지지는 않지만 달아오른 몸과 마음을 진정시켜 주는 효과가 있다.

매운 음식을 떠올릴 때마다 인생이라는 단어를 같이 떠올린다. 달콤하고 상큼한 오미자 에이드에서도 매운맛이 나듯, 인생에도 단맛 짠맛 신맛뿐만 아니라 매운맛이 있으니까. 인생을 넓게 보면 전반적으로는 은은

한 단맛이 돌다가도 한 번 매운맛이 터지면 한참 동안 정신을 못 차리게 만드니까. 사실 인생의 맛을 평균적으로 계산한다면 아마 매운 쪽에 가깝지 않을까? 매운 음식을 마주할 때마다 혼자 속으로 쌓아둔 생각이 있다. '매번 당하면서도 또다시 매운 음식을 찾는 사람들의 심리는, 매운 인생 속에서 굳이 고생을 선택하는 여행자들의 심리와 맞닿아 있는 게 아닐까?' 그렇다. 인생은 기본적으로 하드 모드인 걸 알면서도 여행이라는 사서 고생을 택하는 마음이란 인간의 본능 같은 게 아닐까 하는 근거 없는 추론으로부터 이 글은 시작됐다. 이쯤에서 스스로 질문을 던져본다. '나는 왜, 굳이 먼 길을 떠났던 걸까? 맵찔이인 주제에.'

나에게는 오래된 여행 메이트이자 맵찔이 친구 J가 있다. 같이 여행을 떠나면 함께 있는 시간이 늘어난다는 단순한 이유만으로 낯선 여정에 동행해 준 친구다. 우리가 선택한 매운맛은 바로 ABC 트래킹. 히말라야 안나푸르나 베이스캠프까지 힘들게 올라갔다가 돌아오는 매콤한 여정이었다. 우리는 출발지인 네팔에 입국하기 위해 인도 국경에서부터 야간 버스를 타고 10시간 넘게 달려야 했고, 포장되지 않은 도로와 딱딱한 좌석을 침대 삼아 억지로 잠을 청해야 하는 상황이었다. J는 몸도 마음도 지쳐있었던 탓에 금방 잠에 빠져들었지만, 불안했던 나는 잠이 오지 않아 내내 뜬눈으로 운전자의 뒤통수를 빤히 바라보고 있었다. 정신력이 살짝 흐트러졌을 무렵이었다. 한 남자가 도로로 뛰어드는 게 아닌가! '이 사람이 미쳤나?'라는 말을 입 밖으로 내뱉으려던 순간, 남자는 버스를 향해 손에 쥐고 있던 돌

을 힘껏 던졌고 돌은 버스 출입문 유리에 정확히 꽂혔다. 출입문 바로 앞에 앉아있던 나와 J에게 수많은 유리 파편이 떨어졌다. 버스도 그제야 운행을 멈췄다. 다행히 J는 크게 다친 곳이 없었지만, 나는 목과 팔에 유리 파편 몇 점이 박히는 상처를 입고 말았다. 순식간에 일어난 일이었다. "이만하길 천만다행이다." J와 나는 이 말을 반복하며 서로를 위로했는데, 사실 할 수 있는 다른 말이 딱히 없었기 때문이었다.

우여곡절 끝에 우리는 네팔 포카라에 도착해 트래킹을 시작했다. 7박 8일에 걸친 ABC 트래킹은 끝이 보이지 않는 산 속 어딘가를 향해 무작정 걷고 또 걷는 고행길이었다. 걷기 말고는 할 수 있는 게 아무것도 없고, 그것만이 이 여정을 벗어날 유일한 탈출구임을 알았기에 여정을 포기하거나 속도를 늦출 수 없었다. 길 위에 있는 사람들은 그저 걷는 게 좋아서, 산이 좋아서, 자연이 좋아서 발을 내디딘 사람들이 대부분이었고, J와 나 또한 마찬가지였다. 단지 남들과 다른 점이 있다면, 우리는 관절이 연약한 사람들이었다는 사실과 트래킹이 이렇게 힘들 줄 모르고 무작정 덤벼들었다는 사실이다.

J는 발목과 허리 통증을 참으며 걷다가 결국 참지 못하고 크게 울음을 터뜨렸다. 나도 ABC 트래킹에 대해 제대로 알아보지 않고 도전했던 스스로를 원망하며 속으로 엉엉 울고 말았다. 결과적으로 J와 나는 ABC 트래킹 완주에 성공하기는 했다. 사실 말이 성공이지 포터 친구들이 우리를 업고 왔다 해도 과언이 아닌, 반쪽짜리 성공이었다. 숙소로 돌아오는 택시 안에서 우리는 이 말을 몇 번이고 반복했다. "내 다시는 트래킹 하나 봐라." 하지만 여행이 끝난 뒤 한국으로 돌아온 J와 나에게는 오래 걸을 수 있는 체력과 걷기의 즐거움이 생겼다. 물론 ABC 트래킹 때만큼은 절대 걷지 않겠다는 원칙도 생겼고.

가만히 돌아보면 우리의 인생은 '이만하길 천만다행이다'와 '내 다시는 이거 하나 봐라'의 연속이었다. 인생에 매운맛이 찾아왔을 때 이보다 더 큰 고통이 찾아오지 않았음에 감사하고, 매운맛을 시도했던 나를 반성하며 실수를 반복하지 않으리라 다짐한다. 하지만 인생은 매번 이상하게 흐르기 때문에, 지난달에 태국 쥐똥고추 맛으로 찾아온 고통이 이번 달에는 멕시코 할라페뇨 맛으로 뒤통수를 친다. 인생의 원투펀치를 맞은 우리는 어김없이 실수를 반복하고, 이 정도 고통이었음에 (마지못해) 감사하며 살아간다. 떠나는 삶 대신 머무르는 삶을 택한 J와 나는 한국에서 이렇게 살고 있다.

그 시절 우리는 왜, 인생의 매운맛을 찾아 굳이 먼 길을 떠났던 걸까. 그건 아마도 입 안에 머금을 얼음 한 알을 찾기 위함이 아니었을까. 늘 달콤하기만 한 인생이면 좋겠지만 그렇지 않다면 언젠가 찾아올 매운맛을 대비해야 하니까. 그 어떤 것도 답이 되어주지 못할 때 손에 쥐고 있던 얼음 한 알을 입에 넣어야 하니까. '그래, 우리 여행에도 이것 못지않은 매운맛이 있었잖아.' '그때 진짜 힘들었지만 해냈던 거 기억나? 이번에도 잘 해낼 수 있을 거야.' 때론 당연한 말들이 우리를 구원하는 순간이 있으니까.

인생 맵찔이들인 J와 나의 손에는 얼음 한 알이 쥐어져 있다.
이 얼음은 작지만 쉽게 녹지 않는다.

누가 소매치기인가

　이탈리아 여행을 검색하면 연관 검색어에 '소매치기'가 빠지지 않고 나온다. 이탈리아 치안부터 각종 사기 수법, 소매치기 방지 팁과 준비물 등이 한 페이지를 가득 채운다. 심지어 이탈리아에서는 호의를 베푸는 사람마저도 조심하라고 한다.

　나보다 먼저 이탈리아 여행을 다녀온 여동생도 소매치기를 당했다. 여동생은 친구와 함께 식당에 앉아 음식을 기다리고 있었고 동생은 잠시 화장실에 다녀오겠다며 가방과 카메라를 테이블 위에 올려두었다. 그런데 한 여성이 친구에게 다가와 손으로 하늘을 가리키며 "저기 좀 봐"라고 했다. 고개를 들어보니 아무것도 없었고 그녀는 미소를 지으며 가버렸다. 외국인에게 장난을 치는가 싶었는데 잠시 후 그들은 가방과 카메라가 없어진 것을 알게 되었다. 그제서야 그 시답잖은 장난과 미소의 의미를 깨달았다.

한 명이 주의를 끌면 다른 한 명은 귀중품을 훔치는, 이탈리아에서 가장 전형적인 소매치기 수법이었다. 동생은 여행을 위해 거금을 들여 구매한 카메라, 최신 핸드폰과 지갑이 들어있는 가방을 소매치기당했다. 경찰서에 갔지만 당연히 물건은 찾을 수 없었고 신고 접수만 하고 돌아왔다. 평소에도 칠칠치 못해 물건을 잘 잃어버리는 동생은 다행히 보험을 두둑이 가입해 두어 잃어버린 물건값보다 보험금을 더 많이 받았다. 하지만 여행하면서 찍은 사진과 소매치기를 당한 후의 허탈하고 망연자실한 기분까지는 보상받지 못했다.

이미 호되게 당한 동생은 나에게 낯선 사람이 말을 걸면 무조건 무시하고 귀중품을 잘 챙기라며 신신당부했다. 인터넷에 떠도는 괴담과 많은 피해사례들을 보며 나도 마음을 굳게 먹었다. 최대한 현지인처럼 보이도록 집에서 막 나온 것 같은 후줄근한 옷을 입었다. 손가방에는 돈뭉치처럼 보이는 종이돈을 챙겼고 진짜 돈은 양말 안쪽과 허리춤에 넣었다.

비행기에서 내려 기차를 타고 로마에 도착하니 밤 9시였다. 기차역 주변에는 방황하는 이들과 술을 거나하게 마신 무리들이 보안검색대 앞에 서 있는 보안관보다 더 날카롭게 이방인을 쳐다보고 있었다. 나는 서둘러 예약한 숙소를 검색했다. 역에서 5분 거리인데 가로등도 없는 미로 같은 길에서 숙소를 찾지 못하고 주변을 뱅뱅 돌았다. 지나가는 이들의 얼굴은 짙은 그림자에 더 험상궂게 보였고 나는 사람이 지나갈 때마다 앞으로 맨 배낭을 꼭 끌어안았다. 이탈리아의 첫인상은 어둡고 날카로웠으며 차가웠다. 같은 골목을 세 바퀴나 돌고 나서야 숙소에 도착했다. 숙소 안과 밖은 문 한 짝을 사이에 두고 너무나도 달랐다. 숙소의 조명은 눈부시게 환했고 침대는 포근했다. 방에 들어가자 뭉쳐있던 어깨가 서서히 풀렸고 가방을 한 쪽에 놓아둔 채 바로 침대에 누워 잠이 들었다.

다음 날 아침, 삭막하게 느껴졌던 밤과는 다르게 창문으로 따뜻한 햇살이 들어왔다. 성당의 맑은 종소리와 은은한 노랫소리가 환영의 인사 같았다. 창밖으로 푸른 하늘과 잎이 풍성한 가로수, 오랜 세월이 느껴지는 석조 건물까지 도시 풍경이 한눈에 펼쳐졌다. 지나가는 사람들을 찬찬히 구경하면서 아래층에서 올라오는 은은한 커피 향기를 맡았다. 이게 진짜 이탈리아의 모습이 아닐까.

부엌에는 머리가 희끗한 민박집 주인 할머니와 분주한 여행객들이 아침을 먹으며 이야기를 나누고 있었다. 마흔 살에 이탈리아에 와서 30여 년째 이곳에 살고 있는 주인 할머니는 두 살배기 어린 손자를 유모차에 태우고 산책하는 게 요즘 유일한 낙이라고 했다. 어제는 세금을 내는 날이라 500유로를 챙겨 어김없이 손자와 산책을 나갔다. 그런데 인파 속 한 남성이 할머니 손목에 걸려있던 가방을 홱 채가더니 순식간에 사라졌다고 했다. 이탈리아는 30년을 넘게 산 현지인도 소매치기를 당하는 곳이었다. 거리의 사람들 중 누가 소매치기인지 알 수 없으니 항상 긴장을 끈을 놓지 않고 다녀야 했다.

식사를 마치고 시내를 둘러보기 위해 버스정류장으로 향했다. 신호에 걸려 대기하고 있는 버스를 발견하고 나는 서둘러 뛰어가 운 좋게 버스를 탔다. 요금을 내려고 보니 현금이 아닌 버스표를 내야 되는 것이 아닌가. 이미 버스를 탄 후라 현금으로 지불하려고 허리에 동여맨 손가방을 꺼냈다. 그런데 한 남성이 본인의 티켓을 나에게 건네는 거였다. 호의를 베푸는 사람도 조심하라는 말이 떠올라 나는 손사래를 치며 괜찮다고 했다. 하지만 그는 "오케이"를 연신 외치며 내 손에 티켓을 쥐여주고 버스에서 내렸다. 나는 그의 순수한 호의마저 색안경을 끼고 본 것 같아 괜히 미안해졌다.

버스에서 내려 로마 시내 곳곳을 구경했다. 트레비 분수, 미술관, 성당 등을 돌며 멋진 사진 한 장씩을 남겼다. 하지만 그 사진 속에 정작 나는 없었다. 혼자 왔으니 누군가에게 부탁해야 하는데 카메라를 들고 달아날까 봐 겁이 났다. 그렇게 망설이고 있는 내게 한 여성이 다가와 사진 좀 찍어달라고 했다. 콜로세움 앞에서 그녀는 일행들과 어깨동무하며 포즈를 취했고 이어서 나도 카메라를 건넸다. 나는 제자리에서 폴짝 뛰며 브이를 했다. 그러자 그녀는 나에게 "러블리 걸!" 이라며 크게 웃었다. 사실 그녀에게 카메라를 건넬 때 의심했었다. 이것도 혹시 소매치기 수법이 아닐까. 그러나 그녀는 너무나도 다정하게 웃으며 카메라를 돌려줬다.

나는 모든 사람을 의심하다 못해 아무 대가 없이 호의를 베푸는 사람에게까지 의심의 눈초리를 보내고 더 이

상 다가오지 못하도록 마음의 벽을 치고 있었다. 그런 마음이 오히려 나를 더 힘들게 하고 여행지에서 좋은 사람들과 만날 수 있는 기회마저 차단해 버린 것이 아닐까. 그때부터 나는 조금씩 여유를 가지게 되었고 두껍게 낀 색안경을 벗어버렸다.

결국 나는 동전 하나 잃어버리지 않고 여행을 끝마쳤다. 꼬질꼬질하고 펑퍼짐한 옷을 입은 내 모습도 한몫했겠지만, 긴장의 끈을 내려놓고 열린 마음으로 여행하니 도움을 주는 사람도 많았고 좋은 사람도 많이 만났다. 귀국하는 비행기 안에서 여행을 되돌아보았다. 이탈리아의 풍경과 예술작품도 좋았지만 나를 따뜻하게 대해줬던 사람들이 가장 기억에 남았다. 몇몇 소매치기 때문에 지레 겁을 먹고 마음의 벽을 쌓을 필요는 없었다. 세상은 아직 살만하고 마음 따뜻한 사람이 훨씬 더 많으니까.

선의, 아름다운 기억

차가 섰다. 급작스럽게 쏟아져 얼기 시작한 눈, 산을 넘어가는 가파른 오르막길에서 바퀴는 헛돌며 뒤로 밀리기만 할 뿐 더 앞으로 나아가지 못하고 있다. 좁은 산길, 산비탈 쪽으로는 가드레일도 없어 잘못하면 길 밖으로 떨어질 것만 같다. 퇴근 시간까지 맞물렸는지 내 앞에도 뒤에도 일렬로 선 차의 긴 행렬. 뒤 차가 안전거리를 어느 정도 확보하고 있지만 이대로 더 밀리면 어떻게 될지 알 수 없는 상황이다.

차를 빌려 여행하기로 한 건 내 생각이었다. 밀라노에서 시작해 여러 도시들을 거쳐 로마로 끝나는, 이름 붙이자면 이탈리아 종단 여행. 무거운 짐을 들고 대중교통으로 여러 도시를 이동하기는 번거로울 것 같았고, 운전을 한다면 그동안 해보지 못했던 새로운 경험을 할 수도 있을 것이었다. 게다가 차가 있으면 숙소도 시내 가까운 곳에 잡을 필요가 없으니 숙박비도 아낄 수 있다.

문제는 밀라노에서 스위스를 거쳤다 베네치아로 가겠다는 계획에서 생겼다. 이탈리아는 겨울이어도 많이 춥지 않고 눈이 잘 오지 않기 때문에 문제가 없었지만, 밀라노에서 스위스 인터라켄으로 가는 길은 그렇지 않았다.

시작은 참 좋았는데. 날이 맑았고 고속도로도 여유 있었다. 차로 하는 여행도 생각보다 어렵지 않겠다며 같이 간 친구와 즐겁게 수다를 떨었다. 스위스 국경을 지나고 나선 산이 많은 나라라 터널 안에 교차로가 있을 정도로 터널이 길고 복잡하구나 하고 단순하게 생각했다. 그러는 사이 날씨는 차츰 흐려지기 시작하더니 저녁 무렵부터는 눈이 펄펄 날리기 시작했다. 그때까지도 좋았다. 와, 눈이다. 산을 하얗게 덮어가는 눈을 이렇게 가까이에서 볼 수 있다니, 저게 바로 알프스산맥인가 하며 신이 났다.

그런데 우리가 가야 할 숙소는 고개 너머에 있었다. 인터라켄에 내리는 눈을 너무 얕보았지. 눈은 정말 순식간에 쌓였다. 원래 이런 동네라서 여기 사람들은 크게 동요

하지 않는 걸까. 눈 내린 좁은 산길을 일렬로 술술, 다른 차들은 모두 안정적으로 올라가는데 밀라노에서 빌린 내 차만 언덕을 오르지 못하고 있다니. 올라갈 수도 없고, 되돌아 내려갈 길도 없는 그야말로 진퇴양난. 친구와 나는 그 추운 날씨에도 땀을 뻘뻘 흘리고 있었다.

그때였다. 고개 정상까지 올라선 앞차에서 사람들이 내려 우리에게 온 건. 청년 세 명이었다. 앳된 얼굴이 이제 막 청소년 테를 벗은 것 같았다. 그들은 서툰 영어로 자기들 차에 로프가 있으니 우리 차를 연결해서 끌고 올라가 주겠다고 했다. 구세주! 얼른 좋다고 대답했다. 이제 이 구렁텅이에서 나갈 수 있다.

하지만 희망의 빛도 잠시뿐 또다시 문제가 생겼다. 우리가 빌린 차 앞쪽에는 로프를 걸 수 있는 장치가 없었던 것이다. 스위스에서 차를 빌렸다면 눈이 올 때를 대비하는 장치들이 차에 탑재되어 있었겠지만, 이건 이탈리아에서 빌린 차. 우리에게 도움의 손길을 뻗어준 청년들은 잠시 저들끼리 이야기를 나누더니 새로운 제안을 했다.

"아무래도 너희 운전이 서툰 것 같아. 우리가 운전을 해서 저 위까지 올려줄게."

보험 보장이 안 되는 일이어서 자신에게도 피해가 갈

수 있는 일인데 선뜻 또 도와주겠다는 것이다. 결국 우리
는 뒷좌석에 탔고, 차는 언제 그랬냐는 듯 한두 번 바퀴가
돌더니 금세 산길을 오르기 시작했다.

고개의 정상에 오르는 순간, 거짓말처럼 제설차가 나
타났다. 역시 눈의 나라답게 눈이 내리기 시작하면 재빠
르게 제설도 시작되는 모양이었는데, 그것도 모르고 그
고생을 한 셈이었다. 어쨌든 해피엔딩. 그들은 차가 고개

에 올라서자 쿨하게 사라졌다. 여러 번 고맙다고 이야기했지만, 정말 죽을 수도 있다고 생각했는데 고맙다는 말만으론 부족하지.

그리고 이어지는 부끄러움이 있었다. 사실 그들이 로프로 차를 연결해 끌어주겠다고 했을 때에는 정말 고마운 마음이 100%였다. 하지만 운전을 대신 해주겠다고 했을 때는 혹시 이 사람들에게 다른 마음이 있는 건 아닐까, 여행객의 돈을 노린 것은 아닐까 의심했다.(심지어 나는 그들이 차에 타기 전에 재빨리 트렁크에서 지갑을 챙겨 옷 속에 넣기도 했다!) 숙소에 안전하게 도착한 친구와 나는 그런 이야기를 나누며 마음이 까만 건 아무래도 우리뿐인 것 같다고 웃었다.

그 후로 이탈리아에 잘 돌아와 여행을 이어가면서 이탈리아의 무시무시한 소매치기 이야기들에 두려운 마음을 갖기도 했다. 하지만 인터라켄의 청년들—지금 생각해 보면 그들은 그저 퇴근길 교통체증을 일으키는 우리가 답답해 도와준 것일지도 모른다. 선의라기보다는 사명감이었을지도. 하지만 당시 우리에게는 목숨을 구해준 기사들!—을 생각하면서 마음 한켠으론 여기도 그냥 사람 사는 곳이다 여길 수 있었다.

가끔 외국인들이 한국을 여행하는 프로그램인 '어서
와, 한국은 처음이지'를 본다. 그때 그 인터라켄 청년들도
한 번쯤 한국에 오게 될까, 아니면 이미 다녀갔을까. 그들
도 한국에서 좋은 사람들을 만나면 좋을 텐데. 그리고 정
말 우연히 그들을 한국에서 만날 수 있다면 좋겠다고, 그
들과 마주치는 상상을 해보기도 한다.

나의 첫 음악 친구,
자이안트

    나의 첫 인도 여행은 없는 것 천지였다. 돈? 굶지 않을 만큼만 있었다. 여행 파트너? 혼자가 좋았다. 귀국 후 계획? 내 알 바 아니었다. 다음 목적지? 아무 계획 없이 마음 가는 대로 떠났다. 깨달음? 얻고자 떠났지만 의문만 잔뜩 안고 돌아왔다. 하지만 가난했던 나에게도 가지고 있는 것 몇 가지가 있었다. 무모함이 있었고 서투름도 넉넉했고 무엇보다 허무함은 넘칠 정도로 가득했다. 혼자서 그 먼 나라까지 떠났던 이유도 결국 허무함에서 벗어나려는 발버둥이 아니었을까 싶을 만큼. 어떤 사람들은 많이 가져도 허무함을 느낀다던데 그때의 나는 그 말을 당최 이해할 수 없었다. 없는 것 천지인 인생이었으니까.

    스물다섯 먹은 여행자는 '인생의 허무를 어떻게 할 것

인가'에 대한 답을 찾고 싶었다. 하지만 마음만 앞섰지 어디서 무엇을 해야 할지 몰랐고 어떻게 해야 하는지에 대해서도 아무 계획이 없었다. 그저 여기저기 돌아다니고 가끔 머무를 뿐이었다. 마치 산신령이 짠!하고 나타나 깨달음을 건네주길 기다리듯이. 그런데, 그 일이 실제로 일어났다. 사실 당시에는 그 일이 일어났는지조차 몰랐고, 나중에야 어렴풋이 깨달았을 뿐이다. 불볕더위에 몸이 녹을 것만 같던 여름의 어느 날, 푸쉬카르라는 작은 마을에서 있었던 일이다.

나보다 다섯 살은 족히 어려 보이는 소년을 만났다. 언제 어떻게 만났는지는 기억나지 않는다. 혼자 처량하게 앉아있던 나에게 먼저 다가와 인사를 건넸을 가능성이 높다. 그때나 지금이나 나는 누군가에게 먼저 인사를 건네기보다 나에게 인사를 건네주길 기다리는 사람이니까.

"안녕?" "응, 안녕." "인도에 처음 왔니?" "아니, 여러 번 와봤어." (사기꾼인 줄 알고 본능적으로 튀어나온 거짓말) "혼자 왔니?" "응." (보면 모르니) "그동안 어디 여행하다 왔어?" "여러 군데 갔다 왔어." (슬슬 귀찮아지기 시작)

소년의 이름은 자이안트. 영어로는 Jayant로 쓰고 힌디어로는 쟈얀트라고 읽는다. 그는 나보다 네 배쯤 커 보이는 눈을 깜빡이며 내 이야기를 들려 달라는 신호를 보내왔다. 하지만 그의 바람과 달리 나는 무더위에 몹시 지쳐있었고, 대화를 이어가기에는 마음에 여유가 없었다. 길 위에서 만났더라면 사람 좋아 보이는 미소를 보여주고 자연스럽게 작별했겠지만, 두 사람이 한 공간에 놓인 이 상황은 마치 대화의 감옥에 갇혀버린 느낌이었다. 그는 아랑곳하지 않고 질문을 이어갔다.

"한국 사람들은 왜 인도에 오니?" "글쎄. 모르겠는데."

"너는 왜 인도에 왔니?" "생각할 시간이 필요해서." "너는 무슨 생각을 하니?" "아무 생각도 안 하고 싶은 생각."

그 시절의 나는 냉소와 비관으로 가득했다. 인도 사람들이 흔히 건네는 호의와 친절에도 경계심으로 응수하던 나였다. 하지만 그런 나의 태도도 인도 사람들의 눈치 없는 토크 공세 앞에서는 초심을 잃기 마련이다. 그 후에도 질문과 답변이 몇 번 오고 갔는데, 냉랭했던 대화가 점점 미지근해지기 시작한 건 그가 음악 이야기를 꺼내면서부터였다.

(나의 핸드폰과 이어폰을 보면서) "너 음악 좋아하니?" "응. 좋아하지." "사실 나는 한국 노래를 몰라. 너는 혹시 아는 힌디 노래 있니?" "아니. 하지만 발리우드 음악은 신나서 좋아." "아, 정말?"

큼지막한 그의 눈이 반짝거리는 게 느껴졌다. 그는 숨도 안 쉬고 나에게 다음 질문을 건넸다.

"괜찮다면, 내가 좋아하는 힌디 음악을 추천해 줄까?"

무표정으로 일관하던 내 입가에 미소가 번졌다. 무더위에도 냉랭하기만 했던 내 마음이 살짝 녹아버린 것이다. 그는 자기 USB에 MP3 파일이 들어있으니 내일 가까운 피시방에서 만나자고 제안했고, 나는 고마운 마음을 담아 알겠다고 대답했다. 다음 날 나는 빈 USB 하나를 들고 피시방으로 향했고 그는 그동안 열심히 모은 힌디 음악 수백 곡을 하나도 남김없이 내 USB에 담아주었다. 그는 뿌듯한 표정으로 자기가 추천하는 노래라며 인도 가수가 영어로 부른 노래 하나를 들려줬다.

I feel this unrest
— 나는 이 불안을 느낀다

That nest of hollowness
— 그것은 공허함의 둥지

Here I feel so lonely
— 여기서 나는 너무 외롭다

There's a better place than this, emptiness
— 여기보다 나은 곳이 있다, 공허함

노래의 제목은 Emptiness, 공허함. 내 마음을 들여다 봤나 싶을 정도로 소름 돋는 선곡이었다. 그래서 나에게 이토록 암울한 노래를 추천해 준 걸까? 그가 어떤 마음으로 나에게 노래를 추천한 건지 알 수 없었다. 다만 그가 나에게 무엇이라도 전해주고 싶었다는 건 충분히 느낄 수 있었다. 당시에는 마땅한 단어가 떠오르지 않았는데 이제야 생각났다. 선물. 처음 만난 낯선 이방인에게 무엇이라도 주고 싶어 했던 그의 마음이 나에게는 큰 선물이었다.

그 시절의 여행이 낭만적이었던 이유는 산신령처럼 뿅!하고 등장하는 예측 불가 사건들이 있었기 때문이었다. 나 또한 예측 불가한 경험을 하기 위해 먼 여행을 떠났다. 하지만 정작 그 누구에게도 예측 불가한 경험이 되어주려고 시도조차 한 적이 없었다. 그저 어딘가에 숨어 있을 선물을 찾으려고 여기저기 두리번거리는 철부지 여행자였을 뿐. 냉소 가득한 여행자에게 계속 질문을 건네고 무엇이든 전해주려 했던 소년의 마음이 무엇인지 이제 조금은 알 것 같다. 어쩌면 내가 그토록 찾아 헤맸던 '인생의 허무에 관한 답'은 소년이 나에게 건넨 질문들과 USB에 담긴 음악에 서려 있을지도 모른다.

자이안트. 힌디어로는 쟈얀트라고 읽고 나는 그를 Giant, 거인이라고 기억한다. 체구는 작았지만 거인처럼 넓은 품을 가진 소년 자이안트. 그는 다음 해에 직업 군인이 되기 위해 입대할 예정이라고 했다. 사는 동안 그를 다시 만나기는 어려울 것이다. 이 글을 쓰면서 기도했다. 그의 여정에도 거인처럼 넓은 품을 가진 누군가를 만나 예측 불가한 선물을 받는 날이 오기를 바란다고.

혼자
그리고 함께

라오스행 비행기 표 2장.

한 달간 떠나는 라오스 여행에서 계획된 건 왕복 비행기 표뿐이었다. 처음부터 무계획으로 갈 생각은 아니었지만 출발 일주일 전까지 여행 동반자가 누가 될지, 과연 이 여행을 갈 수 있을지조차 불투명했다.

군인 커플이던 나는 임관하기 전 남자친구와 라오스 여행을 계획하며 비행기 표를 예매했다. 출국을 한 달 앞두고 남자친구가 한 과목을 수료하지 않아 훈련을 다시 받으러 가야 한다는 소식을 듣게 되었다. 나는 혼자 여행을 해본 적도 없고, 더군다나 해외여행을 혼자 간다는 건 생각지도 못했지만 군인이 되면 장기 여행을 못하기에 일단 남자친구의 비행기표만 취소했다. 확정되지 않은 여행을 차일피일 미루다가 출발일이 일주일 앞으로 다가왔다. 나 홀로 여행은 아무리 생각해도 무리였다. 하지만 지금 가지 않으면 후회할 것 같았다.

"나랑 라오스 여행 갈래?"

옆에 있던 여동생에게 무작정 물었다. 급하게 제안한 여행이니 경비는 내가 다 부담하겠다고 했다. "그래!" 여동생은 어디든 가고 싶지만 빈털터리 휴학생이었기에 내 제안을 덥석 받아들였다. 어찌 됐든 출국 일주일 전 라오스 여행이 성사되었고 여행 메이트가 정해졌다. 동생은 내가 예약한 비행기와 비슷한 시간대에 있는 다른 비행기를 예매했고, 우리는 계획을 세울 시간도 없이 하루 전날 짐을 싸서 공항으로 향했다. 나는 중국 항공, 여동생은 한국 항공사였다. 각자 발권을 하고 라오스 공항에서 만나기로 했다. 그런데 항공사 직원이 내 여권 번호를 재차 확인하더니 고개를 갸웃거렸다.

"고객님 성함으로 예약된 티켓이 없는데요."

내 이름으로 예약된 티켓이 없다니 "그럴 리가 없는데..."

나는 다급하게 남자친구에게 전화를 걸었다. 자초지종을 설명하고 확인해 보니 여행사의 실수로 내 비행기 표도 함께 취소된 것이었다. 하필이면 예매한 회사가 미국이어서 떨리는 마음으로 국제전화를 걸었다. 영어를 잘하는 편도 아닌 데다가 당황하니 통 말이 나오지 않았다. 조금 버벅거리자 안내원은 가차 없이 전화를 팍 끊어버렸다. 당황한 사이 핸드폰 배터리도 나가버렸고 넓은 공항에서 콘센트를 찾아 가까스로 핸드폰을 충전했다. 동생에게 이 사실을 알리기 위해 전화를 걸었지만 이미 라오스로 떠난 후였다. 때마침 남자친구에게 전화가 왔고 미국에 있는 친구가 여행사에 알아봐 준다고 했다. 연락을 기다리며 오만가지 생각이 들었다. 하필이면 여동생에게 돈 한 푼 주지 않고 달랑 가방 하나, 티켓 한 장만 들려 떠나보냈다. 언니만 믿고 따라온 동생에게 너무 미안했다. 결국 나는 3시간 늦게 비행기를 타고 떠날 수 있었다. 공항에 도착하자마자 동생을 찾아 나섰다. 혹시나 동생을 만나지 못할까 봐 걱정하며 공항을 돌다 다행히 공중전화 옆에 덩그러니 앉아있는 동생을 발견했다. 그렇게 첫 시작부터 순탄치 않은 우리의 여행이 시작되었다.

삐그덕거렸던 출발과 달리 라오스 여행은 순조로웠다. 그러나 여행 중간쯤 되자 난관에 봉착했다. 초반에는 유명 관광지만 가느라 몰랐던 서로의 취향과 여행 스타일이 조금씩 어긋나기 시작했던 것이다. 나는 아침에 일어나 다이어리에 오늘 할 일을 적고 하나하나 이룰 때마다 희열을 느끼는 사람이다. 반면 여동생은 계획 없이 자연의 흐름에 맞춰 일어나 시간의 여유로움을 온몸으로 느끼는 사람, 무계획이 계획인 사람이다.

역사와 문화를 좋아하는 나는 라오스의 박물관과 전쟁기념관을, 동생은 책을 읽으며 쉬기 위해 카페에 가고 싶었다. 결국 다음날 우리는 각자의 길을 가기로 했다. 서로의 취향과 관심사가 다르니 하루는 각자의 스타일대로 여행하기로 했다. 매일 붙어 다니다가 혼자가 되니 조금 허전했지만 버스를 타자마자 시원한 바람과 창 너머 생경한 풍경에 어색함도 사라졌다.

전쟁박물관을 보러온 외국인 관람객이 신기했는지 한 현지인이 말을 걸었다. 어느 나라에서 왔느냐며 대화를 나누다가 자연스레 그녀와 함께 박물관을 구경했다. 관람이 끝나자 그녀는 자신의 집에 가지 않겠냐고 제안했다. 낯선 나라에서 처음 보는 사람을 따라가기에 겁이 났고 나는 못내 아쉬운 표정을 지으며 자리를 떴다. 박물관에서 나오니 햇볕이 따가운 오후 1시였다. 다음 목적지인 사원까지 가까운 거리였지만 라오스의 택시인 툭툭을 타러 갔다. 기사 아저씨는 처음부터 터무니없이 높은 가격

을 불렀고, 몇 번의 흥정을 했지만 아저씨와 나와의 간극
은 좀처럼 좁혀지지 않았다. 결국 툭툭을 뒤로 하고 바나
나 한 송이를 연료삼아 먹으며 뚜벅뚜벅 걸어갔다. 사원
과 역사박물관을 돌아다니다가 오후 5시가 되어 호텔로
향했다.

동생과 함께 저녁을 먹으며 사진을 보여주고, 라오스 현지인이 집으로 초대한 일, 툭툭 대신에 바나나를 먹고 걸어 다닌 일을 이야기했다. 동생은 카페에서 책을 읽고 다이어리도 쓰며 여유롭게 하루를 보냈다고 했다. 각자 시간을 가진 뒤 서로의 이야기를 듣는 것도 재밌었다. 마치 교집합처럼 우리는 각자의 취향대로 여행하고 또 함께했다.

그 이후에도 우리는 종종 혼자 또 함께 여행했다. 몸 상태가 좋지 않은 날 나는 호텔에서 하루 종일 쉬었고 동생은 세계 각지에서 온 친구들과 밤새 술을 마셨다. 그렇게 여행하다 보니 어느덧 한국으로 돌아갈 시간이 다가왔다. 나는 중국을 경유하는 비행기여서 하루 먼저 출발하고 동생은 직항이라 라오스에서 하루 더 머물기로 했다. 나는 공항으로 가는 버스를, 동생은 시내로 가는 버스를 타고 서로의 모습이 보이지 않을 때까지 손을 흔들었다. 여행을 시작할 때 동생을 혼자 보낸 것처럼 마지막도 동생 혼자 남기고 떠나게 되었다. 한국에서 다시 만날 테지만 혹시 무슨 일이 생길까 싶어 마음 한 켠으로 걱정이 되었다.

한국 공항에 도착하자마자 동생에게 전화를 걸었다. 도착 시간은 동생이 나보다 한 시간 빨랐는데 이상하게도 전화를 받지 않았다. 전광판에 동생이 타야 할 비행기 편명이 보이지 않았다. 혹시 엇갈린 것일까 동생을 찾아다니다가 의자에 앉아 하염없이 기다렸다. 2시간이 지나서 동생에게 도착했다는 전화가 왔다. 동생은 다 깨진 여행 가방의 바퀴를 덜덜거리며 출국장에서 나왔다. 내가 떠난 후 라오스는 갑자기 태풍이 불어 동생이 타려던 비행기가 결항하였다. 대기하다가 운 좋게 비행기 한 대가 떴고 모두들 탑승을 마다할 때 동생은 기어코 몸을 싣고 한국으로 온 것이었다. 폭우를 뚫고 온 비행기도 신기하지만 그 비행기에 몸을 실은 동생도 참 용감무쌍했다. 그렇게 처음부터 마지막까지 혼자와 함께하기를 반복하며 평생 두 번 다시 경험하지 못할 라오스 여행이 끝났다.

당신의 안부가
궁금합니다

잊지 못할 당신에게,

나는 이제 그곳에 없지만 이곳에서 당신을 선명하게
기억합니다. 계절이 수십 번은 바뀔 만큼의 세월이 흘
렀어도 당신은 제 기억 속에 그때 그 모습 그대로 남아
있거든요. 당신, 그곳에 잘 살고 있나요? 그리고, 아직
도 그렇게 살고 있나요? 나는 당신의 안부가 무척 궁금
하답니다.

당신은 나에게 은인입니다. 생명을 구해준 이를 생
명의 은인이라고 부르듯, 나는 당신을 망한 여행의 은

인이라고 부르고 싶습니다. 당신 덕분에 여행이 망했거든요. 뭐, 그래도 괜찮습니다. 여행이 망한 거지 제가 망한 건 아니니까요. 이제는 당신에게 편지를 쓸 수 있을 정도로 괜찮아졌습니다.

지금은 상상하기 어렵지만 저에게도 마냥 착하기만 하던 어린 시절이 있었습니다. 겁이 많았던 지라 독하게 마음먹고 혼자서 부산 여행을 떠났었죠. 여행 첫날, 말로만 듣던 태종대를 가보려고 버스 정류장에 내렸을 때 나는 당신을 처음 만났습니다. 당신은 오래된 휴대전화에 대고 영어로 말하며 내 옆을 스쳐 지나가더군요. 지금 생각해 보면 핸드폰은 꺼져 있었던 것 같고요. 아무나 들으라고 일부러 큰 소리로 통화한 것 같았어요. 통화를 끝낸 당신은 나에게 다가와 인사를 건네고 이것저것 물어봤습니다. 착해빠진 나는 낯선 이의 질문을 하나하나 다 받아주었고, 우리는 금세 친구가 되었어요. 오래전 죽은 당신의 동생이 나를 닮아서 슬펐다는 말에 눈시울이 붉어졌던 건 비밀입니다.

당신은 모 대학병원의 의사라고 했었죠? 의사에게

주어지는 여러 가지 혜택이 있어서 내가 원하면 그 모든 걸 나에게 나눠주겠다고 약속했어요. 착하고 똑똑한 나였더라면 참 좋았을 텐데 그때의 나는 왜 그리도 착하고 멍청했을까요. 당신은 갑자기 걸려 온 전화를 심각하게 받더니 급히 수술이 잡혀서 병원에 가야 한다고 했어요. 병원까지 급히 가야 하는데 택시비가 없다고, 나에게 돈을 빌려줄 수 있겠냐고 물었잖아요. 자기를 믿으면 돈을 빌려달라고, 믿을 수 없다면 자기는 수술하러 갈 수 없다고 하길래, 착해빠진 나는 계좌에 있던 돈을 모두 찾아서 당신에게 줬어요. 수술하러 가는 의사라고 했으니까요. 사람 살리는 의사라고 했으니까요. 당신은 나에게 인사를 건네고는 좁은 골목으로 달려갔고(택시를 탄다더니 왜 골목으로 달려간 거지?), 잠시만 기다리면 연락하겠다던 당신은 10년이 지나도록 소식이 없네요.

당신과는 인도 뉴델리역에서도 만난 적 있어요. 심지어 두 번이나요. 부산에서 당신을 만났을 때는 배불뚝이에 머리숱이 많은 아저씨였는데, 인도에서 만났을 때는 삐삐 마르고 머리가 벗겨진 아저씨의 모습이었어요.

그날 저는 평소와 달리 혼자가 아니었습니다. 인도가 처음인 여동생(놀랍게도 친동생)과 함께 새로운 여정을 시작하려던 순간이었거든요. 기차표를 예매하려고 뉴델리 기차역으로 열심히 걸어가는 길에 당신을 만났습니다. 당신은 나에게 헬로우 마이 프렌드라고 인사를 건넸죠. 하지만 나는 친구가 별로 없어서 자기가 친구라고 주장하던 당신의 말에 쉽게 넘어가지 않았습니다. 당신은 아랑곳하지 않고 말을 이어가더군요. 지금 파업이 시작돼서 기차역이 폐쇄됐다고, 네가 지금 기차역에 가도 티켓을 살 수 없을 거라고 말입니다. (이 친구, 내가 기차표 사러 가는 건 어떻게 알았지?) 순간 동공이 0.1초 정도 흔들렸지만, 멀리서 들려오는 기차 도착 안내방송에 정신이 번쩍 들었어요. 당신도 분명 안내 방송을 들었을 거예요. 나와 눈이 마주친 당신은 뒤도 안 돌아보고 저 멀리 가버렸어요. 나는 몇 초 만에 친구 하나를 잃어버렸고요. (다른 여행자들의 이야기를 들어보니 당신은 여행자들을 가짜 여행안내소로 유인해서 값비싼 여행상품을 결제하게끔 한다던데, 사실인가요?)

동생과의 여행이 끝나고 우리는 다시 뉴델리로 돌아

왔어요. 한국으로 돌아가는 동생을 공항철도 역까지 바래다 주기로 했거든요. 여행자들이 모이는 거리에서 공항철도 역으로 가려면 기차역을 가로질러야 해서 우리는 여행이 처음 시작된 뉴델리 기차역 앞을 다시 지나야 했습니다. 역 광장에 도착하니 낯설지 않은 목소리가 저를 불러 세우더군요. 당신이었습니다. 나는 당신을 선명하게 기억했지만, 하루에도 수백 명의 친구가 되어 주는 당신은 나를 기억하지 못하더라고요. 나에게 말을 거는 당신을 보니 좋았던 기분이 사라지고 순식간에 불쾌한 감정으로 가득해진 느낌이었어요. 당신의 입에서 다음 말이 나오기도 전에 나는 당신을 한 대 치고야 말겠다는 각오로 주먹을 들어 올렸습니다. 당황한 동생은 저를 말렸고, 당신은 자기가 무슨 잘못을 했길래 그러냐는 듯 억울함을 호소하더군요. 만약 동생이 저를 말리지 않았으면 나는 기차역 한복판에서 어떤 봉변을 당했을지 모릅니다. 지금 생각하니 간담이 서늘해지네요.

친구 J와 함께한 페루 여행에서 당신을 또 만났습니다. 벌써 네 번째 만남이네요. 마추픽추를 보러 가는 길에 잠시 머물렀던 쿠스코에서 J와 나는 즐거운 시간을

보내고 있었어요. 쿠스코는 멋진 건축물과 탁 트인 하늘이 정말 아름다운 도시거든요. 우리는 광장 벤치에 앉아 광합성을 하며 쉬고 있었습니다. 당신은 나무로 만든 사각 상자를 어깨에 메고 나에게 다가왔어요. 당신은 내 신발을 보며 '너의 신발이 더러우니 내가 반짝반짝하게 닦아주겠다'고 말했어요. 그런데요, 제 신발은 구두가 아니라 하얀색 스니커즈 운동화였거든요? 당신은 과감하게 거절하지 못하는 (착해빠진) 나를 한참이

나 쳐다봤어요. 대체 어떤 수로 운동화를 닦아주려나 호기심이 생겨서 신발을 내밀었는데, 아니 글쎄, 구두 닦는 솔로 운동화를 벅벅 문지르다니요. 흰색 운동화는 하얘지기는커녕 얼룩덜룩한 색으로 물들어 버렸어요. 그렇게 하고선 나에게 뭐라고 말했는지 기억나십니까? 어쨌든 자기는 최선을 다했으니 돈을 받아야 한다고, 얼마를 줘야 가겠느냐는 나의 질문에 네가 주고 싶은 만큼 달라고 했잖아요. 적지 않은 돈을 받아쥐고서야 당신은 다른 곳으로 떠났습니다.

사기꾼들은 왜 사기를 치나요? 다른 사람은 몰라도 당신만은 그 이유를 알 것 같아서 물어봅니다. 물론 알아요. 사기꾼들의 마음을 꿰뚫어 본다 한들 달라지는 건 아무것도 없다는 것을요. 하지만 나는 가끔 미치도록 궁금할 때가 있어요. 당신의 마음속에는 대체 뭐가 있는지, 있어야 할 게 없는 건 아닌지 말입니다. 뭐, 물어봐도 답해주지 않을 것도 잘 알지만요.

나는 당신을 죽기 직전까지 선명하게 기억할 겁니다. 기억하고 싶지 않아도 계속 생각날 거니까요. 당신, 그곳에 잘 살고 있나요? 그리고, 아직도 그렇게 살고 있나요?

나는 당신의 안부가 무척 궁금하답니다.

2023년 8월,
당신의 호구 중 한 명으로부터

Chapter. 2

돈 쓰기

잘 먹고
잘 자는 것만큼
중요한 게 있을까?

짠 내 나는 여행

"젊어서는 시간은 많지만 돈이 없어서 여행을 못하고, 늙어서는 돈은 많지만 시간이 없어 여행을 못한다."

그렇다. 20대 때는 정말 돈이 없었다. 나는 법적으로 성인이 되면 부모님으로부터 경제적, 정서적으로 완전히 독립해야 한다고 생각했다. 그러나 부모님이 주시는 용돈 없이는 밥 한 끼도 사 먹을 수 없는 것이 현실이었다. 결국 부모님께서 대학교 등록금과 기숙사비를 내주시고 용돈까지 얹어 주셨다. 경제적 독립은 둘째치고 정서적 독립도 하지 못했다. 기숙사에 들어간 지 한 달도 안 돼서 가족들이 보고 싶어 펑펑 울며 전화했다. 해가 바뀌면 새사람이 되기로 결심하지만 어제와 다르지 않듯 나는 나이만 성인이었을 뿐 하루아침에 어른이 되지는 않았다.

그래도 경제적 독립을 이루기 위해 방학 때마다 틈틈이 아르바이트하면서 용돈을 벌었다. 많은 사람이 초콜릿을 주고받는 달콤한 밸런타인데이에 나는 일급 7만 원을 받고 초콜릿 판매 아르바이트를 했다. 마감을 1시간 앞두고 좀처럼 가지 않는 시계를 보며 '내 시간을 팔아 돈을 벌고 있네'라는 생각이 들었고 어느 대기업 회장의 말이 떠올랐다. "젊은 시절로 다시 되돌아갈 수 있다면 내 전 재산과 맞바꾸겠다." 억만금을 줘도 살 수 없는 스물한 살 내 하루를 겨우 7만 원에 팔고 있다니. 나는 그날 이후로 더 이상 아르바이트를 하지 않았다. 대신에 공부를 하고 공모전과 대외활동을 하며 내 미래에 더 가치 있는 것들을 쌓아나갔다. 그리고 운 좋게 150만 원이라는 상금을 받았다.

공돈이 생겼으니 가장 하고 싶었던 여행을 가기로 했다. 해외여행 경비로는 턱없이 부족했지만 단돈 150만 원으로 오래 여행할 수 있는 동남아로 정했다. 비행기 티켓값 30만 원에 넉넉잡아 하루 4만 원씩 쓰면 최소 한 달은 여행할 수 있었다. 하지만 물가가 저렴하다고 무조건 싼 건 아니다. 하루 경비 4만 원으로 호텔 대신 돗대기 시장같은 여행자 숙소에서 잠을 자고 길거리 음식을 먹으며 여행해야 했다. 게다가 나는 몇만 원이라도 아껴보겠다고 다섯 시간이면 도착하는 태국에 스무 시간이나 걸려 도착했다.

방콕에서는 물건값을 조금이라도 더 깎으려 흥정하고 가격이 싼 숙소를 찾아 다니며 시간과 돈을 맞바꿨다. 끼니는 리어카를 타고 매연 가득한 도시를 누빈 1,500원짜리 팟타이와 어디서 왔는지 모를 날벌레가 앉

은 컵 과일이었다. 내게 유일한 사치는 교통비를 아끼기 위해 걸어 다니며 퉁퉁 부은 발을 위한 길거리 타이 마사지였다.

다음 목적지인 치앙마이로 가는 교통수단은 비행기와 기차, 버스가 있었다. 하지만 내가 선택할 수 있는 것은 가장 싼 버스였다. 나는 정류장에서 페인트칠이 벗겨지고 곳곳에 녹이 슨 한국 봉고차와 마주했다. 이 오래된 승합차는 태국에서 새 생명을 얻어 지역 방방곡곡을 누비고 있었다. 두드리면 십 년 전 한국에서 묵은 먼지까지 토해낼 것 같은 거무죽죽한 의자에 살며시 앉았다. 이어 가난한 배낭 여행객들은 본인 체구보다 더 큰 배낭을 앞뒤로 메고 차에 올랐다. 내 앞에는 불룩 나온 배 위로 금빛 수염을 늘어뜨린 아저씨가 정신을 혼미하게 하는 체취를 내뿜었고, 옆으로는 시끄러운 자동차 엔진 소리보다 더 큰 목소리로 전화하는 태국 아주머니가 있었다. 나는 오감을 자극하는 차 안에서도 피곤했는지 창문에 머리를 대자 잠이 들었다.

얼마나 시간이 지났을까. 덜컹거리는 소리와 함께 유리창에 머리를 부딪치며 잠에서 깼다. 밖을 바라보니 첩첩산중이었다. 창문 아래로 보이는 까마득한 절벽에 나는 식겁했지만 운전기사 손에 목숨을 내맡긴 여행자들의 얼굴은 평온해 보였다. 이들은 한 끗 차이로 삶과 죽음의 경계에 있다는 것을 알까. 조금만 더 싸게 갔다간 내가 먼저 갈 것 같았다. 그렇게 한 달을 얼마나 짠내 나게 여행했던지 지갑에 30만 원이나 남아있었다.

지금 그 시절을 떠올려 보면 지네와 혈투를 벌이고 눅눅함에 뒤척였던 숙소와 에어컨 바람이 솔솔 나오는 숙소는 고작 1~2만 원 차이였고 상인들과 실랑이를 벌이며 깎아도 겨우 몇백 원 아낀 것이었다. 쾌적한 숙소에서 푹 자고 좋은 컨디션으로 더 많은 곳을 여행했더라면, 한 번쯤은 좋은 식당에서 제대로 된 태국음식을 먹었더라면 어땠을까하는 아쉬움이 남는다. 마냥 싸게 여행해야 한다는 욕심에 그곳에서만 경험할 수 있는 것과 여행에서 남겨야 할 즐거운 추억까지 놓치고 있었던 것은 아닐까. 나쁘지 않은 여행이었지만 나는 무엇을 위해 그토록 짠내 가득한 여행을 했을까.

25밧짜리 실패

태국 여행을 마무리하면서 가족과 친구에게 줄 특별한 선물을 준비하고 싶었다. 그래서 숙소 근처 수공예품 상점에 들러 포장용 작은 대나무 상자부터 샀다. 막상 살 때는 괜찮았는데 사고 나서 곰곰이 생각하다 보니 피로감이 심하게 밀려왔다. 가격 때문이냐고? 그럴 리가. 상자 하나에 25밧이었는데 한국 돈으로 950원, 고작 편의점 음료수 한 병 정도의 가격이었다. 아니면 대나무 상자에 구멍이 뚫렸거나 제법 큰 하자가 있어서? 태국에서 판매하는 핸드메이드 제품은 대부분 퀄리티가 훌륭한 편이라 그럴 일은 없다. 그렇다면 나는 도대체 왜 피곤해진 걸까.

상자의 사이즈를 재보니 선물 포장용으로 쓰기에는 너무 작았다. 과자 한두 개 넣으면 상자가 꽉 차버려서 이대로 선물을 준비했다가는 안 한 것만 못할 것 같았다. 결국 다른 포장을 찾아보기로 했고, 25밧짜리 상자는 순식간에 쓸모없는 물건 신세가 됐다. 요긴하게 쓸 줄 알았던 상자가 되려 고민의 원인이 돼버린 것이다. (심지어 구매 후 환불 불가) 결국 내가 느낀 피로감의 원인은, 쓸모 있는 물건을 사는 데 실패한 나 자신에게 괜찮지 않았기 때문이었다. 겨우 25밧 손해 좀 봤다고 당장 문제가 생길 만큼 궁핍하지도 않았는데, 황당할 따름. 결국 한동안 기분이 좋지 않아 하루를 엉망으로 보내고 말았다.

나는 소비가 즐겁지 않은 사람이다. 사람들이 옷을 사거나 가방, 신발을 살 때 흔히 느낀다는 즐거움도 잘 모른다. (단, 항공권 구매는 예외) 이십 대 후반까지도 엄마가 사주는 옷과 신발에 나의 패션을 의존했을 만큼 쇼핑에 흥미가 없었다. 지금도 내 옷을 산다고 하면 그 생각만으로도 심신이 피곤해진다. 넉넉지 않은 경제적 여건 탓에 소비도 '선택과 집중'이 필요할 때가 많았고, 그런 환경에 영향을 받은 건 아닐까 짐작할 뿐이다. 해외여행 중에는 한국에서보다 훨씬 단호한 '선택과 집중'

이 필요하다. 수입 없이 주야장천 소비만 하다 보니 아주 작은 액수에도 예민해지는 건 당연하고, 만에 하나 손해 보는 소비를 했다거나 사기라도 당하는 날에는 하늘이 무너지는 듯한 절망감을 마주했다. 돌아보면, 한국에서나 해외에서나 나의 소비 패턴은 늘 한결같았다. '가성비 소비'.

타지에서 생필품을 사기 위해 편의점에 들를 때마다 물건들 앞에서 얼마나 많은 시간을 보냈는지 모른다. 가성비 때문이다. 원래 내가 사려고 했던 제품과 바로 옆에 놓인 비슷한 제품, 1+1 또는 2+1 같은 프로모션 제품들을 비교하고 또 비교한다. 여행지에서 내가 쓸 수 있는 돈은 한정적이고 내가 사려고 했던 물건도 이미 정해져 있지만, 나는 그 조건 안에서 완벽한 가성비를 이루어 내기 위해 고민한다. 생각해 보면 그 이유는 단 한 가지다. 실패하지 않겠다는.

사실 알고 보면 나는 자주 실패한 사람이다. 각종 시험에 보란 듯이 낙오하고, 군대에서는 지망했던 보직 경쟁에서 밀리고, 취업 시장에서는 적게는 수십 번 많게는 수백 번 탈락하는 시대를 지나왔고 또 지금도 살고 있으니까. 실패의 경험으로만 따지면 그 누구보다 실패를 잘 이겨낼 것 같은데, 따지고 보면 '실패의 누적량'과 '실패에 익숙해지는 것' 사이에는 별 연관성이 없는 것 같다. 매번 실패를 마주할 때마다 이토록 새롭고 아프니 말이다. 게다가 나는 '실패의 크기'에 관계없이 '실패의 고통'을 매번 비슷하게 느끼는 사람이다. 입시나 취업 같은 큰 실패의 고통이든 여행과 일상에서 마주하는 소소한 실패의 고통이든 나에게는 마찬가지 고통일 뿐이니까. 미리 예매한 기차를 실수로 놓친다거나 어제 야시장에서 산 물건과 똑같은 물건이 오늘 더 저렴한 가격으로 판매되고 있는 상황을 마주하는, 지금 생각해 보면 별거 아닌 실패에도 나는 유난스럽게 아파한다. 어쩌자고 이렇게나 실패에 나약한 걸까. 아마 나는 마음이 아주 작고 좁은 채로 태어난 사람인지도 모르겠다.

나는 여행하는 동안 실패에 의연한 여행자가 되고 싶었다. 여행이 끝나는 날, 좀 더 강한 사람이 되어있기를 바랐다. 하지만 그때나 지금이나 실패가 괜찮지 않

다. 괜찮지 않은 나는 어제도 편의점 프로모션 제품들을 들었다 놨다 하다가 결국 아무것도 사지 않고 문을 나섰다. 실패하기 싫어서.

돈과 시간이 넉넉하면 실패에 무뎌질까? 그럴 것 같지 않다. 왜냐하면 이 피로감은 소유 여부가 아닌 태도에 관한 문제에 가깝기 때문이다. 삶을 살아가는 태도, 선택에 있어서 기준이 되는 가치관, 인생을 마주하는 자세 같은 것들 말이다. 분명 나란 사람은 주머니가 넉넉하다 한들 여전히 계산대 앞에서 가성비니 가심비니 하는 것들을 고민하고 있을 것이다.

애물단지 대나무 상자는 어떻게 됐냐고? 이제는 쓸모없어진 상자지만 나는 이것을 버리지 않기로 했다. 25밧짜리 대나무 상자 하나 가지고 성공이니 실패니 따지는 내가 참 우습지만, 이 또한 여행이 준 선물이라 생각하고 오래오래 기억하기로 했다. 이 글은 기억을 위해 박제하는 글인 셈이다. 그리고 상자를 바라볼 때마다 이 말을 주문처럼 되뇌기로 마음먹었다.

"사는 거, 실패 좀 하면 어때."

물건을 사는 것도, 인생을 사는 것도 어느 하나 만만한 것이 없다.
언제쯤이면 괜찮아질까. 그리고, 과연 괜찮을 수 있을까.

맛을 찾습니다

MBTI처럼 사람을 유형화하는 이런저런 틀이 있다. 맛집에 대한 태도도 유형화해 보자면, '맛집을 찾아 줄을 서서 먹는 파', '맛집은 좋아하지만 줄서기는 힘드니 줄이 없을 때만 맛집을 찾는 파', '맛집 같은 건 아무래도 상관없는 파' 정도가 될 것이다. 그중 나는 '맛집 같은 건 아무래도 상관없는 파'다. 하지만 배가 고프면 성질이 나빠지는 유형의 사람이기도 하다. 그래서 성질이 나빠지기 전에 배를 채워야 다툼 없는 여행이 가능하다. 그래도 먹는 것을 가리는 사람은 아닌 데다가, 뭐든 맛있게 먹기 때문에 데리고 다니기에 아주 나쁜 편은 아니다. 배고픔에는 예민하지만 먹는 데는 무르고 둔한 사람.

제주는 벌써 여섯 번째다. 그동안은 2박 3일 정도의 짧은 일정들이어서 맛있는 음식에 젓가락을 찔러 간만 보고 만 것 같은 기분이랄까. 그래서 마흔 기념 여행(나이의 특정 마디를 여행으로 기념하는 유형의 사람)은 제주도로 정했다.

본격 여행 첫째 날. 체력이 있을 때 많이 다녀야 한다는 유형의 사람인 나는 공항을 등지고 오른쪽 방향으로 최대한 많이 가보자고 마음을 먹었다. 이호테우 해수욕장에 들러 말 등대가 잘 있는지 확인하고, 제주도 맛집이라고 유튜브며 네이버 지도며 평이 좋은 고등어 쌈밥집에 들렀다. 먹는 것에 큰 열정이 없는 나에게 흔하지 않은 맛집 방문. 같이 간 친구 덕분이었다. 대충 먹자는 나의 회유에도 아랑곳하지 않고 친구는 지도 곳곳에 별표를 찍었다.(그렇다, 그는 '맛집을 찾아 줄을 서서 먹는 파'였던 것이다!) 어차피 뭘 먹어도 큰 상관은 없었기에 불만 없이 친구를 따라갔다.

맛집이라는 소문답게 사람들이 꽤 많았지만 다행히 아직 점심때가 되긴 이른 시간이어서 대기 없이 식탁에 앉을 수 있었다. 고등어 쌈밥 정식 2인분을 주문하고 가게 안을 둘러보니 제법 꽉 찬 자리마다 놓여 있는 쌈밥 정식이 보였다. 몇 가지 찬과 쌈 채소, 고등어조림과 조밥으로 구성된 음식은 맛있었다. 하지만 뭔가 아쉬웠다. 그 마음에 기분이 찜찜했지만 맛집을 찾아준 친구가 무안하지 않게 더 '맛있네, 맛있다.'를 반복하며 먹었다.

다시 해안로를 따라 바다 물빛에 감탄하며 내리 달렸다. 해수욕장들을 거치고, 선인장 군락지나 지질트레일 같은 명소도 차례로 들렀다. 거기에 각종 박물관과 전시까지 섭렵. 이쯤 되니 날은 이미 저물었고 배가 고팠다. 친구는 내일 둘러보기로 한 산방산 근처에 맛집을 알아두었다며 나를 이끌었지만 불행히도 식당은 휴일이었다. 대안을 준비하지 않았던 우리는 급히 다른 맛집을 찾아봤지만, 날이 저문 산방산 근처에는 문을 연 식당이 없었다.

뭐든 먹기만 하면 좋겠다 싶어질 즈음 다행히 작은 식당이 나타났다. 식사 시간이 지나서인지 손님이 없었고, 주인아주머니는 내일 장사를 준비하시는 듯 바닥에 앉아 생선을 손질하고 계셨다. 벽에 걸린 가게 메뉴판에는 점심 정식, 저녁 정식이 가장 앞에 걸려 있었는데, 아마 점심과 저녁에 근처 사람들이 장부를 대놓고 먹는 백반집인가 싶었다.

저녁 정식을 주문하곤 식당을 찾아 다행이라며 내 안의 짐승을 다스리고 있는 동안 등 뒤에서는 굽고 볶고 끓이는 소리가 분주했다. 정식이라고 이름이 붙어 있지만 동네 장사를 하는 이런 식당 메뉴의 쉬운 이름 은 백반이다. 1인분 만 원짜리 백반. 이 가격에 적당한 메뉴 구성과 맛을 상상하고 있을 때, 우리 앞에 차려진 건 몇 가지 밑반찬과 제육볶음, 김치찌개, 거기에 수육 과 갈치구이였다. 제육볶음과 김치찌개만으로도 이 가 격에 충분하다 했을 텐데 수육에 갈치구이라니! 생각지 도 못한 만찬이었다. 많이 배가 고팠던 우리는 정신없 이 밥을 먹었고, 진짜 맛있었다며 만족했다.

지금 생각해 보면 낮에 먹은 것이나 저녁에 먹은 것 이나, 다 맛있는 밥이었다. 점심을 먹고서는 마음이 찜 찜했고, 저녁을 먹고서는 만족스러웠다는 느낌이 남아 있을 따름. 솔직히 말하면 맛이 어땠는지 지금은 잘 기 억도 나지 않는다.

여행 후 지금까지도 분명히 마음에 남아 있는 것은 그날 먹은 밥의 맛이 아니라, 식당을 나오면서 마주친 산방산의 웅장한 실루엣이나 후식으로 마신 맥심 모카 골드의 향 같은 것들이다.

이런 걸 보면 아무래도 나는 여행을 맛으로 기억하는 사람은 아닌가 보다. 내게 음식에 대한 기억은 그곳이 맛집이든 아니든, 다른 사람들의 평가가 어땠든, 또 어떤 맛이었든, 그저 음식의 앞과 뒤, 위와 아래를 둘러싼 당시의 경험적 맥락 안에서 스치듯 지나갈 뿐이다. 그러니 맛집이라고 찾아간 식당에서 '맛'만을 느끼려 했을 때는 아쉬움이 남을 수밖에.

이 글을 쓰면서 내게도 하나쯤 그 맛을 목적 삼을 수 있을 만한 음식이 있나 곰곰이 생각해 봤지만 떠오르지 않는다. 그리고 이건 하나의 불행일 수도 있겠다는 생각을 했다. 식도락이라는 말이 있을 만큼 맛은 여행의 큰 즐거움 중 하나일 것이기 때문이다. 나는 잘 알지 못하는 즐거움이 있다고 하니 왠지 그 즐거움이 더 커 보인다.

하지만 앞으로도 내게 많은 여행이 남았겠거니, 그러다 나에게도 운명처럼 눈을 크게 뜨게 만드는 음식이 나타나 주겠거니, 언제든 마음을 활짝 열 준비를 하고

기다린다. 앞으로의 여행에서 내가 느껴볼 수 있으리라
기대되는 즐거움이 하나 더 남은 거라고 생각하면서.

사탕수수즙을 왜 먹냐고
물으신다면

　인도에는 왈라가 있다. 왈라는 힌디어로 '무언가를 전문적으로 하는 사람'을 의미한다. 라씨를 팔면 라씨 왈라, 주스를 팔면 주스 왈라, 인도의 전통 음료 짜이를 팔면 짜이 왈라라고 부른다. 공항을 나서자마자 마주하는 택시 왈라들의 호객행위부터 길거리 음식을 파는 요리왕 왈라들까지, 인도 여행은 온갖 왈라들과 함께하는 여행이라 해도 과언이 아니다. 수많은 왈라 중에서도 나는 생사탕수수를 바로 짜서 주스로 만들어 주는 사탕수수 왈라들을 가장 좋아한다. 날것 그대로인 사탕수수즙은 인도 길거리에만 있을 것 같은 특별함이 느껴진달까?

이 글은 인도에 갈 때마다 나를 유혹하는 단돈 150원짜리 사탕수수즙에 관한 이야기다.

인도의 거리를 걷다 보면 손수레를 닮은 운송수단 위에 경운기 모터처럼 생긴 투박한 기계를 올려놓은 가판대를 쉽게 만날 수 있다. 이들은 축구공만 한 코코넛이나 대나무처럼 굵고 기다란 사탕수수를 한가득 싣고 손님을 맞이한다. 경운기 모터처럼 생긴 기계는 착즙기인데, 사탕수수를 안으로 밀어 넣으면 두 개의 둥근 바퀴가 돌면서 기계 아래쪽으로 사탕수수즙이 뚝뚝 떨어지는 단순한 원리로 작동한다. 인도판 휴롬인 셈이다. 안전불감증의 나라 인도답게 기계에는 어떠한 안전장치도 없었다. 기계에 달린 두 바퀴 사이로 사탕수수를 넣는 모습을 보고 있노라면 당장이라도 손가락이 말려들어 갈 것 같은 불안감이 발바닥을 타고 정수리까지 피어오른다. 다행히 내 눈앞에서 큰 사고가 난 적은 한 번도 없었다. 관광객이 몰리는 거리에서 판매하는 사탕수수즙 한 잔의 가격은 30루피, 우리 돈으로 고작 450원이면 신선한 착즙주스 한 잔을 마실 수 있다. 이마저도 인적이 드문 시골로 가면 10루피, 우리 돈으로 150

원까지 떨어진다. 그중에서도 나는 10루피짜리 사탕수수즙을 선호하는 가난한 여행자였다.

사탕수수의 겉은 대나무를 닮은 초록색이지만 안을 열어보면 하얀색 섬유질이 빼곡히 채워져 있다. 그래서 생사탕수수를 갓 짜내면 연한 초록색 액체에 하얀색 거품이 뒤엉킨, 걸쭉한 주스가 된다. 카페에서 흔히 마시는 말차라떼, 딱 그 느낌이다. 왈라에게 사탕수수 한 잔을 달라는 의사표시를 하고 돈을 내밀면, 손수레에 달린 서랍에서 컵 하나를 꺼내 주스를 부어준다. 그 컵은 어린 시절, 아빠가 동네 구멍가게에 앉아 소주 한잔 걸치실 때 내어주던 플라스틱 잔과 똑같이 생겼다. 얇은 두께에 반투명한 재질, 손을 아주 살짝만 쥐어도 힘없이 찌그러지는 나약함까지. 서랍에서 꺼낸 그것이 과연 새것인지, 음료를 따라 마셔도 위생상에 문제가 없는 건지 이방인은 알 길이 없다. 현지인 친구들이 아무렇지 않게 마시니 나도 그들을 따라서 아무렇지 않은 척 마실 뿐이다.

맛은, 솔직히 말하면 떫은맛이 살짝 나는 설탕물 맛,

그 이상도 이하도 아니다. 굳이 의미를 부여하자면 무더운 인도의 기후 속에서 수분과 당 보충을 한큐에 해결해 주는 음료라고나 할까? 심지어 차갑지도 않다. 가끔은 얼음을 싣고 다니는 왈라를 만나기도 하는데 얼음은 주스를 컵에 따라줄 때 거름망에 몇 덩어리를 담아 뒀다가 부으면서 살짝 스쳐 지나가는 용도로 사용될 뿐이다. 얼음이 비싸기 때문이다. 시원함은 둘째치고, 그 얼음은 과연 깨끗한 얼음일까? 이 음료는 과연 150원만큼의 값어치를 하는 음료일까? 사탕수수는 세척이 된 걸까? 사탕수수즙 한 잔을 앞에 두고 나는 매번 새로운

질문을 마주한다.

하지만 질문에 답을 다 내리기도 전에 나는 사탕수수즙 한 잔을 목구멍으로 밀어 넣는다. 그 달고 미적지근한 액체가 혀를 지나 목구멍으로 넘어가는 순간, 나는 깨닫는다. '아이고, 오늘 밤부터 물갈이 시작이로구나' 지금까지 마신 사탕수수즙이 몇 잔인지, 물갈이를 몇 번이나 했는지 셀 수조차 없다. 알면서도 기어이 마시고 또 마시기를 반복했다.

인도에 갈 때마다 왜 매번 사탕수수즙을 마시느냐는 질문에, 나는 이렇게 답했다.

"사탕수수즙을 마셔야 인도에 온 게 실감 나거든요."

말도 안 되는 이유처럼 들리겠지만, 대개 여행은 말도 안 되는 이유로 시작되는 법이니까.

위장과 미각 사이

    피자, 파스타, 젤라토, 와인 하면 가장 먼저 생각나는 나라, 미식의 나라 이탈리아다. 이탈리아 여행을 계획하면서 그중에서도 가장 기대했던 것이 바로 '와인'이었다.

    스물다섯 살, 사회초년생이던 나는 첫 월급으로 180만 원을 받았다. 짠 봉급보다 더 짠순이였기에 150만 원을 저금하고 생활비 30만 원 중 무려 5만 원을 와인에 썼다. 술을 좋아하지 않지만 단순히 마시는 술이 아닌 역사, 문화, 예술이 담겨 있는 와인을 배우고 싶었다. 와인 동호회에 가입해서 정작 와인보다는 그곳에 모인 사업가, 방송인, 예술가 등 사람들을 더 많이 알게 되었지만 매달 모여 5병씩 마신 와인이 아깝지 않게 와인을 즐길 줄 아는 사람이 되었다. 이탈리아를 여행지로 선택한 이유도 산지에서 신선한 와인을 마셔보고 싶었기 때문이다. 여행 계획을 세우면서 가장 공을 들인 것도 와이너리 투어였다.

처음으로 혼자 떠나는 여행이라 여행정보를 쉽게 얻을 수 있는 한인 민박으로 예약했다. 민박집 사장님은 호텔 요리사 출신으로, 요리를 배우려고 이탈리아에 왔다가 이곳의 매력에 빠져 눌러앉게 되었다고 했다.

거실에 들어서자 사장님은 요리사 출신답게 식당 정보가 담겨있는 종이를 쫙 펼쳐 젤라토, 파스타 맛집을 콕콕 짚어주셨다. 나는 사장님이 주신 보물지도를 가지고 시내로 향했다. 길을 걷다 보니 사람들 손에 젤라토가 하나씩 들려 있었고 멀리서도 사람이 붐비는 가게 하나가 눈에 띄었다.

나는 차가운 아이스크림을 먹으면 곧잘 배탈이 난다. 그렇지만 사장님은 이탈리아에 오면 젤라토를 꼭 먹어봐야 한다며 추천했다. 이탈리아까지 왔는데 남들 다 먹는 젤라토를 나도 한 번쯤은 먹어봐야 할 것 같았다. 가게로 들어가니 유리 진열장 안에 쫀득쫀득하고 부드

러워 보이는 젤라토가 푸짐하게 담겨있었다. 메뉴판 앞에 서성이다 흑임자와 진한 초콜릿 젤라토를 두 스쿱이나 사서 나왔다. 로마의 더운 날씨 속에서 젤라토 한 입을 베어 물자 입 안에 진한 달콤함과 부드러움이 녹아들었다. 배탈 걱정은 잠시 미뤄둔 채 과자 부스러기 하나 남기지 않고 다 먹었다.

젤라토로 충전한 당의 힘으로 저녁 늦게까지 시내 구경을 하고 숙소로 향했다. 입구에 도착하자 매콤한 한국 음식 냄새가 문밖으로 새어 나왔다. 사장님은 한국을 그리워하는 직원들과 여행객들을 위해 향수병을

사무치게 할 새빨간 떡볶이와 제육볶음, 매운 라면까지
고춧가루를 팍팍 넣어 만들어주셨다. 나는 한국인이라
고 말하기 민망할 정도로 김치도 잘 못 먹는 맵찔이 중
의 맵찔이지만 사람들 사이에 섞여 떡볶이 하나를 집었
다. 먹자마자 사장님이 요리사였다는 사실이 떠올랐다.
혀가 얼얼하고 입 안에 맑은 침이 고였다. 그만 먹어야
한다고 머리로 생각했지만 멈출 수가 없었다.

  어렸을 때부터 까탈스러웠던 위장 때문에 가려 먹어
야 했던 세 가지 음식이 있다. 유제품, 찬음식, 매운음식
이다. 한 가지만 먹어도 배탈 나는 음식을 한꺼번에 모
두 먹은 바람에 예민한 위장에 불이 나기 시작했다. 나
는 배를 부여잡고 뒹굴다가 새벽이 돼서야 겨우 잠이
들었다.
  다음 날 아침까지도 뱃속에 아직 꺼지지 않은 잔불
이 남아있었고, 하필이면 가장 기대했던 와이너리 투어
당일이었다. 와이너리는 시내에서 차로 1시간 정도 걸
렸는데 버스를 타고 시내 골목골목을 누비며 오르락내
리락하는 동안 내 속도 같이 울렁거렸다.
  힘든 시간 끝에 와이너리에 도착했다. 끝이 보이지

않는 포도밭과 평생 마셔도 다 마시지 못할 만큼의 와인통들이 내 눈앞에 펼쳐졌다. 한 시간 투어 코스를 마치고 드디어 기다리던 와인 시음 시간이었다. 화이트 와인 3잔과 레드 와인 2잔이 테이블에 놓여 있었다. 화이트 와인에서 포도의 싱그러움, 그리고 한국에서 마셨던 와인과는 차원이 다른 신선함이 느껴졌다. 그러나 나머지 잔 들은 입에도 댈 수 없었다. 불난 속에 술을 부었으니 위장이 더 타들어 갔다. 이탈리아에 온 이유, 그렇게 고대했던 시간인데 젤라토와 한국에서도 먹을 수 있는 떡볶이 때문에 와인을 앞에 두고도 못 마시다니... 속상한 마음을 안고 숙소로 돌아오는 길은 더 험난했다.

여행에서도, 인생에서도 내가 하고 싶은 것보다 남들이 다하니까 휩쓸리듯 따라 하다가 정작 하고 싶은 것을 놓치게 될 때가 있다. 때로는 나를 잃어가면서까지 주위에 현혹되어 잘못된 선택을 하기도 한다. 한낱 음식을 선택할 때도 그랬다. 유명하고 남들이 맛있다고 하니 나에게 맞지도 않는 음식을 먹고 탈이 난 것이다. 주변이 소란스럽고 화려함이 눈을 현혹하면 내면의 소리보다는 밖에서 들리고 보이는 것들에 흔들리기 마련이다.

한국으로 돌아가는 비행기 안에서 사진을 정리하는데 성당에서 찍은 사진 하나가 눈에 들어왔다. 그 속에는 'Keep Going, Silence Please.(계속 가세요., 조용히 하세요.)' 라는 문장이 적혀있었다. 별생각 없이 찍은 사진이었는데 그것은 이탈리아 여행이 나에게 고하는 말이었다.

"타인의 말에 흔들리지 말고 내가 가고 싶은 곳을 향해 가라."

나의 안전 공간[*]

흉흉한 시절이다. 어제도 뉴스에서 묻지마 폭행에 대한 기사를 봤다. 언젠가부터 불특정인을 대상으로 하는 범죄 이야기가 심심치 않게 들린다. '불특정인'이라는 점에서 많은 사람을 불안하게 만드는 이야기. 나 역시 마찬가지다. 혼자서 늦은 밤길을 걸어야 할 때, 유독 더 주변을 신경 쓰게 되고, 뒤에서 나는 기척에 집중하게 된다.

여행을 왜 하는지 스스로에게 물어보면 답이 쉽게 나오지 않는다. 세상은 점점 흉흉해지는데, 말이 통하는 국내도 아니고 아는 사람 하나 없는 외국이라면 더욱 말이다. 그럼에도 쉬는 날이 생기면 떠나고 싶어진다. 그래서 나를 옮겨줄 이동 수단의 티켓을 끊고, 나를 안전하게 담아줄 숙소를 예약한다. 그리고 떠난다.

여행에서 숙소는 다만 며칠이라도 내가 새로 적응해야 할 내 껍질이자 집이다. 낯선 땅에서 내 짐을 풀고 내 등을 누이는 곳. 그래서 둘째 날부터는 돌아오는 순간 안도와 평안을 느끼게 되는 나의 안전 공간.

딱 한 번, 딱 하루 혼자 여행한 적이 있다. 도쿄에 살던 친구와 오사카 여행을 함께 하기로 하고, 친구를 만나기로 한 날짜보다 하루 일찍 오사카에 도착했다. 저녁 비행기에서 내려 추적추적 내리는 비를 맞으며 걷던 시간. 현란한 네온사인 간판들 사이, 술에 취한 사람들과 담배 냄새를 피하려 주변을 둘러볼 정신도 없이 앞으로만 걸었다. 그렇게 도착한 큐브 호텔은 한국 번화가에 있는 찜질방 같았다. 술에 잔뜩 취한 아저씨들이 집에 가지 못해 눈을 붙이는 곳. 딱 발 뻗고 누울 공간만 있는 새로운 형태의 숙소라는 설명을 보고 경험해 보겠다며 예약한 곳이었는데, 나의 호기는 숙소에 도착하자마자 사라져 버렸다.

그렇게 열쇠를 받아 들어간 방은 침대 위에 상자를 덮은 것 같은 모양새여서 지하철역에 있는 짐 보관함을 조금 크게 확대한 느낌이었다. 주변 칸에는 단체 여행을 온 것 같은 중국 아주머니들이 서로의 방문을 활짝 열어놓은 채 큰 소리로 떠들고 있었다. 방문을 잠그고, 캐리어를 발치에 넣고, 앉은 채로 옷을 갈아입고 나서야 정신이 들었다. 나는 지금 왜 이곳에 이렇게 있는 것인가. 누가 시킨 적도 없는데 꾸역꾸역 이곳까지 온 것은 무슨 이유인가. 이것도 여행이라고 할 수 있나.

이어폰을 꽂고 음악을 들으며 웅크려 앉은 채로 생각했다. 그래도 이곳은 바깥이 아니다. 나는 지금 한밤중에 오사카 시내 한복판에 있지만, 안전하다고 할 수 있다. 이 느낌은 내가 이 조그마한 방 안에 있기 때문에 느낄 수 있는 것이다. 그런 생각을 하면서 까무룩 잠이 들었다.

친구와의 오사카 여행을 잘 마친 후 다시 한국, 집으로 돌아왔을 때 '아, 이번에도 무사히 돌아왔군. 나 돌아왔어. 그동안 잘 있었지?' 하고 누구에게 하는 말인지 알 수 없는 인사를 건넸다. 아마 나를 보내고 내내 비어 있었을 나의 집에게 한 말이었겠지.

떠나고야 알 수 있는 마음이 있는 것 같다. 그리움처럼, 같이 있을 때는 잘 알 수 없는 마음 말이다. 그래서

여행은 어디론가 떠나서 그곳에서 느끼고 경험하는 것
에서 끝나는 것이 아니라, 그 여정을 잘 마치고 집에 도
착해 내내 집을 그리워했다는 것을 깨달으며 끝이 나는
것인지도 모르겠다. 여행의 이유는 결국 잘 돌아오기
위함인지도.

　떠남을 목말라하다 여행을 계획하며 두근댄다. 떠나
는 비행기에서는 기대감을, 여행지에서는 다양한 감각
과 행복감을 느끼기도 한다. 하지만 결국 마지막 날은
오고, 돌아가기 싫은 마음과 어서 돌아가고 싶은 양가

감정 속에서 집에 가까워질수록 무거워지는 피로를 느끼곤 한다. 그리고 마침내 집. 나를 지켜주는 나의 공간과 안심하는 마음으로 다시 만나는 것이다.

나는 또 다음 여행을 계획하고 있다. 비행기 티켓을 끊고, 두근대는 마음으로 그날을 기대하고 있다. 그러나 이번에도 늘 그랬듯 다시 돌아올 것이다. 나의 집, 나를 감싸주는 나의 공간으로. 그 안도감까지를 나는 기대하고 있다.

* 유튜브 채널 '마세숲 My Safe Space'을 변용했습니다.

제로 웨이스트 숙소

    오랜만에 여행을 떠난다. 계획도 없고 단지 '제로 웨이스트 숙소' 라는 이름 하나만 보고 가방을 챙겼다. 자연보호를 위해 일회용품을 사용하지 않고 태양열을 사용하며 불필요한 에너지를 덜 쓰는 곳이다. 내가 이러한 숙소에 관심 갖게 된 것은 전 세계 곳곳에 있는 쓰레기 산에 대한 다큐멘터리를 보고 난 후였다.

    그 속에 지구는 과소비와 이기심으로 오염된 모습이었다. 물론 쓰레기를 만들지 않고 살아갈 수 없다. 하지만 쓰레기통으로 들어가면 내 눈앞에서 사라졌으니 잘 처리되는 줄 알았다. 그렇게 세계 곳곳에 물건들이 버려졌고 어쩌면 내가 버린 것도 쓰레기 산의 일부가 되지 않았을까 죄책감이 들었다. 이제라도 나는 지구에 무해한 삶을 살아야겠다고 생각했고 그런 의미에서 제로 웨이스트 숙소에 마음이 이끌렸다.

한 번도 가본 적 없는 외딴섬 강화도. 이곳으로 들어가고 나가는 길은 강화대교 하나뿐이다. 강화도로 들어서자 드넓은 바다가 펼쳐졌고 김제평야 못지않게 광활한 논과 밭의 풍경도 보였다. 농사가 시작되는 5월이라 경운기와 트랙터가 느릿느릿 길을 막아섰지만 그 누구도 조급해하지 않았다. 경운기 바퀴 사이에 붙어 있던 흙들이 길을 잃고 도로 위에 뒹굴었고 가축 분뇨 냄새가 솔솔 풍겼다.

숙소를 찾아 골목으로 들어가자 흙먼지 날리는 비포장도로와 옹기종기 모인 집들이 보였다. 동네에서 조금 떨어진 곳에 하늘색 페인트가 칠해진 2층 목조주택 한 채가 있었다. 집을 둘러싼 담장도, 대문도 없었다. 대신 그 주위로 우거진 나무들이 든든하게 서 있었다. 사장님은 외출 중이어서 나는 조용히 문을 열고 들어갔다. 세월이 느껴지는 나무집이었지만 정겹고 포근한 느낌을 주었다. 시간의 흔적을 알려주는 뿌연 통유리창으로 따스한 햇살이 들어왔고 테이블 위에는 샴푸비누와 세안비누 조각이 조그만 접시에 담겨있었다. 취향이 듬뿍 담긴 서재와 손 글씨로 적은 글귀, 직접 만든 양초와 소품들을 보면서 사장님의 부재에도 나는 그녀가 어떤 사

람인지 알 수 있었다.

　잠시 조용했던 공간에 인기척이 들리고 긴 머리에
선홍빛 잇몸을 살짝 보이며 환하게 웃는 사장님이 들어
왔다. 숙소를 둘러보며 사장님의 취향을 이미 공감해서
인지 그녀가 친근하게 느껴졌다. 사장님은 나를 반갑게
맞아주셨고 옆방 여행객도 곧 도착하니 함께 저녁을 먹
자고 했다.

메뉴는 고슬고슬한 쌀밥에 새송이와 두부구이, 마당에서 직접 기른 채소로 만든 샐러드와 나물 반찬, 된장국이었다. 얼마 만에 먹어보는 온기와 정성 가득한 밥상인가. 나는 밥풀 하나 남기지 않고 식기를 깨끗하게 비웠다. 식탁에 함께 모인 이들은 비슷한 결을 가지고 있었고 셀 수 없이 많은 숙소가 있지만 꼭 이곳이어야만 했던 사람들이었다.

이 숙소에 머무르는 동안 마음이 편안했고 아무것도 남기지 않는 무해한 여행을 할 수 있었다. 그때의 경험은 나의 일상과 삶에 진한 흔적을 남겼고 사장님이 살아가는 모습은 내 삶의 방식을 바꿔주었다. 이제는 나의 편리함보다 자연을 생각하는 마음을 가지고 아름다운 지구의 모습을 더 오래 볼 수 있도록 노력한다. 작은 것이라도 자연을 사랑하는 마음을 몸소 실천하며 살아가는 사장님처럼 말이다.

🍎

이상한 여행자의
아름다운 선택

서랍에서 오래된 노트 하나를 꺼냈다. 이따금 떠오르는 여행의 기억을 되새기기 위해 종종 들춰보는 일기장이다. 이 글은 2011년 6월 26일, 나의 첫 인도여행 4일 차의 기록이다.

쉼라, 영화 <세 얼간이>에 아주 잠깐 등장했던 도시. 인도의 재벌들이 휴양지로 찾는 동네답게 지금 이곳에는 빈 숙소가 없다. 그래서 본의 아니게 노숙을 하고 있다.

당시의 나는 즉흥적이고, 실전에 강하고, 임기응변에 능하고, 뛰어난 순발력을 발휘하는 사람이었다. 말 그대로 '오늘만 보고 살았다'. 아마 그때 MBTI 검사를 했다면 무계획적이고 즉흥적이라는 P만 100% 나왔을

게 분명하다. 지금이야 거친 사회생활과 숱한 시행착오 덕분에 J와 P가 반반 정도 섞여 있는 삶을 살고 있지만, 그때의 나는 무계획이 계획이라 철석같이 믿던 대책 없는 인생이었다. 여행도 마찬가지였다. '우연한 만남'과 '예상 밖의 경험'이 배낭여행의 매력이라 여기며 정체불명의 오아시스를 향해 무작정 달렸다. 하지만 사막에서 벌어지는 대부분의 서사가 그렇듯이, 오아시스가 신기루였음을 깨닫기까지는 그리 오래 걸리지 않았다. 나는 존재하지 않는 오아시스를 찾아 헤매던, 오늘만 보고 사는 여행자였다.

우연한 만남과 예상 밖의 경험이라는 환상에 취한 여행자는 종종 이상한 의사결정을 내린다. 아무리 즉흥적인 여행자라도 생존과 안위를 위해서라면 나름 합리적인 결정을 할 텐데, 남들과는 다른 경험을 하겠답시고 평소 같았으면 절대 하지 않을 선택을 하는 것이다. 쉼라라는 도시에 나를 위해 딱 한 자리 남겨진 숙소가 운명처럼 기다리고 있을 거라 믿었던 걸까? 이곳이 유명한 줄 진작에 알았다면 최소한 전화나 이메일로 숙소 예약을 했어야만 했다. 인도 재벌들이 휴양지로 몰려온다는 이 대단한 시즌에, 이 대단한 여행자께서는 아무 계획도 없이 몸뚱이만 끌고 도착했다 이거다. 오늘만 살던 이 여행자는 과연 어떻게 됐을까?

처음에는 마을 광장에서 밤새도록 앉아있으려 했는데 삐끼들이 하도 말을 걸어와서 도저히 머무를 만한 상황이 아니었다. 그래서 개중에 친절했던 YMCA 숙소로 돌아와 매니저에게 되지도 않는 영어로 더듬더듬 부탁했다. (나 이 동네 세 바퀴나 돌았는데 방이 없었다, 밖은 너무 위험해서 안전한 곳이 필요하다, 돈은 내겠다 등등) 단호하게 안 된다고 얘기하더라. 결국 똥 마려운 강아지처럼 AH...UM... 을 연발하며 간절함을 어필했더니... 테라스에서는 안 되고, 입구 철문 안쪽에서는 자도 된다는 허락을 받았다. (철문은 마치 감옥처럼 밤새 잠겨있었다) 그리고 지금 나는 이 숙소에서 키우는 검둥이, 흰둥이와 함께 누워있다. 이 녀석들은 바닥에 앉아 있는 나와 눈높이가 비슷할 만큼 덩치가 크고 근육질에다가 인상마저 험상궂게 생겼다.

보아하니 흰둥이는 무심하게 자는 것 같은데, 검둥

이는 계속 내 쪽을 쳐다보고 있다. 사진을 찍어 주고 싶었는데 괜히 카메라 보여줬다가 나에게 달려들까 싶어서 흰둥이만 찍을 수밖에 없었다. 녀석이 나를 빤히 쳐다보는 것 보니 간밤에 찾아온 불청객이 꽤 의심스러운가 보다. 나도 이런 내가 의심스럽다. 인도에서 이런 경험을 하게 될 줄이야, 상상도 못 했다.

여기서 끝이 아니었다.

나를 노려보던 검둥이가 드디어 누워서 잠을 잔다. 아까는 성큼성큼 다가오더니 앉아있는 나의 무릎을 앞발로 막 긁더라. 눈을 마주치며 안 쫀 척했지만, 솔직히 정말 무서웠다. 얼마나 무서웠냐면 검둥이에게 물려서 광견병으로 한국에 조기 귀국하는 상상까지 했거든. 이곳에서 개가 사람을 물면 그 개는 처참히 죽는다던데... 검둥아, 부탁이 있다. 너도 살고 나도 좀 살자. 제발 까불지 좀 말고.

다행히 나는 광견병에 걸리지 않은 채로 아침을 맞이했다. 물론 이후에도 다양한 사건·사고가 이어졌지만 검둥이와 흰둥이의 각성 효과 덕분에 멀쩡한 정신으로 여행을 이어갈 수 있었다.

그로부터 12년이 흘렀다. 그래, 이제는 솔직하게 말할 수 있다. 사실 나는 내가 내렸던 이상한 결정을 단 한 번도 후회한 적이 없다. 좀 더 정확하게 말하자면, 나의 실수가 이상하리만치 좋았다. 심지어 아름답게 느껴지기도 했다. 삶이 지치고 막막할 때마다 일기장을 꺼내 쉼라에서 있었던 노숙 이야기를 읽었던 건, 무척이나 이상했던 그날의 내가 꽤 괜찮은 사람으로 기억에 남았기 때문일 것이다. 무척이나 멀쩡해 보이는 지금의 나와는 다르게.

12년이라는 세월은 나를 참 많이도 바꿔놓았다. 오늘만 보고 살던 나는 온데간데없어졌다. 이제 나는 과거와 미래를 내다보며 사는 사람이 되었고, 우연한 만남보다는 익숙한 만남에 집착하며, 일상 속 모든 순간을 예상할 수 있는 범위에 두려고 아등바등 애쓰는 사람이다. 그렇게 살다 보면 '이게 맞나?' 싶은 순간이 종종 찾아온다. 그때마다 어김없이 쉼라를 생각한다. 그리고 허름한 숙소 앞 마당에서 공포에 질린 채 꾸역꾸역 일기를 쓰고 있는, 서투른 여행자를 떠올린다.

가끔은 뭔가에 홀린 사람처럼 이상하게 살고 싶을 때가 있다. 하지만 안타깝게도 지금 내 마음에는 나를 공포에 떨게 만드는 검둥이와 흰둥이가 있다. 이상한 상상에 빠지다가도 순간 정신을 번쩍 들게 만드는 것들 말이다. 하지만, 나는 언제든지 이상한 결정을 할 수 있는 사람이고 싶다. 아직은 그럴 수 있다고, 그래도 된다고 믿는다. 아니, 믿고 싶다. 그렇게 색이 바래고 희미해진 믿음을 마음속 틈새에 끼워두고 살아간다.

To. 이 글을 읽고 있는 당신에게. 혹시 낯선 곳으로 여행을 준비하고 있다면 하룻밤 정도는 숙소 예약 없이 떠나보는 것을 제안한다. 꼭 숙소 예약이 아니더라도 이상한 결정에 한 번 도전해 보시길 권한다. 물론 선택의 책임은 당신의 몫. 당신을 평생 따라다닐 검둥이와 흰둥이를 만나는 행운은 덤이다.

(숙소 예약 안 하고도 여행 잘만 할 것처럼 써놨지만, 그 일을 겪은 후 나는 숙소 예약에 과도한 집착이 생겨버렸다.)

Chapter. 3

추억 쓰기

이 순간을
특별하게
기억하기 위하여

추억 연금

　나는 기록하는 것을 좋아한다. 언제부터였을까 생각해 보니 초등학생 6학년 때 기억이 떠올랐다. 담임선생님은 매일 일기 검사를 했다. 일기장 끝부분에는 항상 짤막한 글귀를 남겨주시고 그 옆에 동그라미를 그려주셨다. 단순한 일상을 기록하면 동그라미 하나, 자신의 생각이나 느낌이 들어가 있으면 동그라미 두 개를 받았다. 간혹 동그라미 세 개를 받기도 했는데 그날은 친구들 앞에서 발표를 했다. 일기를 낭독하면 선생님은 망고 맛 젤리 하나를 선물로 주셨고 달콤한 젤리 덕분이었는지 그 후로 나는 동그라미 세 개를 받기 위해 매일 밤 열심히 일기를 썼다.

　이제 선생님의 칭찬, 친구들의 박수 소리, 달콤한 젤리는 없지만 나를 위해 일상을 기록한다. 소소하게 식단부터 여행, 독후감, 하루 일과까지 스쳐 지나가는 생각들을 놓치고 싶지 않아 하나하나 기록하다 보니 기록중독자가 되었다. 어디를 가나 노트와 펜을 항상 들고 다녔는데 얼마 전 여기에 카메라가 한 대 더 추가되었다.

어린 시절부터 나와 함께했던 친할머니가 돌아가시고 유품을 정리하면서 할머니와 함께 찍은 사진이 한 장도 없다는 것을 알게 되었다. 할머니의 모습을 선명하게 볼 수 있는 건 노란색 고운 한복을 입고 미소 지은 영정사진뿐이었다.

흔들린 사진 한 장이라도 할머니의 모습을 남겨놓지 않은 아쉬움과 후회가 밀려왔다. 할머니는 내가 어린 시절부터 성인이 될 때까지 언제나 그렇듯 같은 자리에 반겨주셨다. 그러나 내 인생의 시간이 흘러가듯 할머니의 시간도 삶보다 죽음에 더 가까워지고 있다는 사실을 잊고 있었다. 큰 바위도 갉아먹는 시간의 날카로움을 깨닫고 주위를 보니 이제는 검은 머리보다 흰머리가 더 많아진 부모님이 보였다. 또 다른 후회를 남기지 않기 위해 가족 여행을 떠나기 전 카메라 한 대를 구입했다.

여행하는 동안 카메라에 행복한 순간을 담았고 가족

들을 위해 영상을 한 편 만들었다. 편집하면서 촬영할 때는 보지 못한 모습들을 볼 수 있었다. 평소에는 무뚝뚝하지만 술이 들어가면 이야기꾼이 되는 아빠, 다육식물과 꽃구경을 할 때 행복해하는 엄마, 손주들 주려고 바삐 움직이며 나물 반찬과 김치찌개를 만드는 외할머

니. 주변 사람들까지 기분 좋게 만드는 이모의 경쾌한 웃음소리, 어느새 훌쩍 커버린 동생들. 여기에 산뜻한 음악까지 넣으니 스쳐 지나가는 평범한 순간도 특별해졌다.

　10분짜리 짧은 영상을 만드는데 꼬박 반나절이 걸렸다. 하지만 여행 영상을 보고 즐거워하는 가족들을 보니 그런 수고를 잊을 만큼 뿌듯했다. 여행뿐만 아니라 일상에서도 나는 종종 카메라를 들고 영상을 찍는다. 그렇게 스쳐 지나가는 순간을 잡아놓은 추억들이 하나둘씩 늘어간다. 사람은 평생 쌓은 추억을 먹고 산다. 그 행복하고 즐거운 순간을 조금 더 선명하고 생생하게 잡아두기 위해 나는 계속해서 기록한다. 평생 먹고살 연금은 얼마 없지만 인생을 풍요롭게 하는 추억 연금은 후회 없을 만큼 두둑이 쌓여간다.

🍎

여행 저축

알람 소리에 눈을 뜬다. 아침인가. 출근하기 싫다. 어기적어기적 화장실로 가 양치와 샤워를 하며 잠을 쫓는다. 오늘 처리할 일이 뭐더라 생각하면서. 샤워에 시간을 너무 많이 썼네. 머리를 대충 말린 채 후다닥 옷을 꿰어 입고 집을 나선다. 나는 아직 좀비의 상태. 도로에 가득 찬 자동차 대열에 합류해 직장에 도착한다. 아메리카노를 원샷하고, 그제야 사람이 된다.

그렇게 정신이 든 이후는, 이런 생각조차 할 새 없이 업무의 연속이다. 점심마저도 기합 든 군인의 심정으로 급식판에 담긴 그날의 메뉴를 흡입한다. 그리고 퇴근시간이 되면 직장 건물에서 나 자신을 재빨리 쫓아낸다. 가자! 집으로 가자!

하지만 집에 왔다고 특별히 뭔가 할 수 있는 건 아니다. 저녁을 먹고 치우면, 잠들기까지 대략 두어 시간밖에 남지 않으니까. '세상에, 잠들기 전까지 두 시간밖에 남지 않았다니!' 하는 압박에 손톱을 깨물고 다리를 달달 떤다. 그러나 그 생각에 매여 두 시간은 금세 흐르고, 다시 잠. 그리고 제일 첫 문장으로 돌아가는 생활이 반복된다. 물론 주말엔 주말의 시간이 흐른다. 밀린 집안일을 하고, 밀린 사람들을 만나고. 밀린 무언가를 하다가 다시 평일의 시작으로 밀려나는 일.

이 삶에는 내가 없다. 24시간 컨베이어벨트에 올라탄 생산품처럼 매일 어떤 공정이 진행될 뿐이다. 아, 내가 이러려고 돈을 버나 싶은 마음. 그 마음을 보상받기 위해 휴대폰을 보며 손가락으로 하는 소비도 이제 지겹다.

이런 생활에서 벗어나 여행을 떠난다는 건, 회전하는 컨베이어벨트를 멈추고 그만큼의 시간을 내게 선물한다는 뜻이 된다. 어렵게 만들어 낸 여유의 시간. 소중하게 써야 한다.

인스타그램을 열면 팔로우한 사람들의 여유로운 시간이 펼쳐진다. 누군가는 또 휴양지로 여행을 떠났다. 예쁘게 플레이팅 된 음식, 넓게 펼쳐진 해변, 그 안에 함

박웃음을 짓고 있는 그들의 모습. 그래서 나도 사진을 찍나보다. 올여름 짧게 휴가를 내 다녀온 경주에서도 봉긋하게 솟은 대릉원의 무덤들이며, 석가탑과 다보탑들을 열심히도 찍어댔다.

그래서 인스타그램에 사진을 올렸냐 하면, 그렇지 않다.

내가 다른 사람들의 여행 풍경과 여유롭게 즐기는 모습을 보면서 부러움을 느꼈듯 다른 사람들이 내 피드를 보며 부러움을 느끼기를 바라는 마음이 내게도 있다. 하지만 내가 내 여행에서 바라는 건 그런 것이 아니다.

한국인이 즐기는 특유의 여행 문화가 있다. 패키지 여행이라 불리는 이 유형은 짧은 시간 안에 많은 지역을 둘러본다는 게 특징이다. 많은 관광지에 가볼 수 있다는 장점이 있지만, 한곳에 오래 머물러 살펴보는 여유는 부족하다. 관광지 내에서도 짧게 어느 기념물 앞에서 사진만 찍고 이동하기도 하고, '미술관 1시간 안에 둘러보고 만나기'처럼 내게는 어려운 미션을 수행하기도 한다.

물론 이런 여행도 소중하다고 생각한다. 여행계획을 세우거나 티켓 예매하는 일을 어려워하는 사람에게는 편리한 여행 방법인 데다, 자신에게 어떤 여행이 맞는지 알기 전이라면 패키지여행을 통해 여러 여행지를 경험해 보고 다음 여행에 대해 계획해 볼 수도 있다.

하지만 이것도 내게 어울리는 여행은 아닌 것 같다.

대부분의 도시에서 랜드마크는 가장 높은 빌딩이나 관람차다. 어느 곳에서나 눈에 보이고, 올라서면 도시를 한눈에 조망할 수 있기 때문이겠지. 그런데 나는 고소공포증이 있다. 비행기를 타지 못한다거나, 높은 층에 살 수 없는 수준은 아니지만, 벽이 없거나 그 벽이 투명해서 밑이 내려다보이면 고작 2층 정도의 높이에서도 다리가 후들거리고 걷는 것이 망설여진다.

하지만 그런 나도, 여행을 가면 관람차를 타거나 높은 빌딩에 올라가 시내를 본다. 한눈에 여행지를 담겠다는 욕심이 고소공포증을 이기는 것이다. 그렇게 보면 높이에 대한 욕망도 소유욕이지 싶지만 이게 꼭 욕심에 휘둘린 마음이라고 볼 수만은 없다.

사람들 가득한 오사카 시내 쇼핑몰에서 빨간 관람차에 올라탄다. 저녁 무렵 차들이 하나둘씩 라이트를 켜

고, 그 많던 사람들도 저 아래 잘 보이지 않는 높이까지 올라가면, 불 켜진 건물들 위 하늘을 본다. 노을에 붉어졌던 하늘은 어느 순간 보라색을 지나 완벽한 먹색의 밤이 되고, 그걸 지켜보는 나는 비로소 '여기는 내가 아는 땅이 아니구나, 나는 이방인이구나' 느끼게 되는 것이다. 여행자로서 온전히 나 자신만을 인식하는, 나에게만 집중할 수 있게 되는 순간. 나는 왜 사소한 기쁨의 순간들은 손을 펴 흘려보내고, 작디작은 고통의 순간들만

손에 꽉 쥔 채 괴롭다 여기며 살아왔을까 물어볼 수 있는, 나와 나의 대화 시간이다.

그리고 나서는 기념 자석을 하나 산다. 집으로 돌아와 자석을 나의 냉장고에 붙인다. 그러면 그것에 담긴 기억과 함께 나는 여행지를 완벽하게 소유하는 것이다. 나의 냉장고에는 그런 여행들이 차곡차곡 저축되어 있다. 그것은 아무도 훔쳐 갈 수 없다.

돌아온 내가 다시 컨베이어벨트에 올라타 쳇바퀴 돌리는 삶을 산다고 할지라도 말이다.

사진,
순간을 붙잡는다는 착각

　스마트폰이 없던 시절, 삼성에서 디지털카메라를 출시한 적이 있다. 엄마는 넉넉지 않은 형편에도 불구하고 고등학생인 나에게 카메라를 사주셨는데, 나중에 들어보니 엄마의 청춘에 사진이 늘 함께 있었다고 했다. 나는 학교에 종종 카메라를 가지고 갔었고 (누가 훔쳐갈까 봐 아주 가끔) 그때마다 같은 반 친구들을 하나둘 찍어주곤 했다. 지금도 생생히 기억나는 건, 나의 촬영을 거절한다거나 피하는 친구가 단 한 명도 없었다는 사실이다. 사진이 어디에 쓰이는지, 파일을 받을 수 있는지 물어보는 친구도 없었다. 답답하고 재미없는 학창 시절을 지나는 동안, 적어도 사진을 찍는 순간만큼은 찍어달라는 사람과 찍어주는 사람 모두 아무 조건 없이 웃을 수 있었다.

첫 카메라를 선물 받은 지 10년 정도 지났을까, 열심히 모은 돈으로 비싼 DSLR 카메라를 장만했다. 배낭여행을 하면서 사진을 열심히 찍으려고 카메라를 샀지만 여행 내내 손으로 들고 다니기에는 무게가 상당했다. 그래서 특별한 경우를 제외하고는 대부분 배낭에 넣은 채로 업고 다닐 수밖에 없었다. 취미라 하기엔 너무나 혹독한 대가를 요구하는 취미였던 셈이다. 하지만 똑딱이 카메라로는 절대 찍을 수 없는 고화질의 사진만큼은 절대 포기할 수 없었다. 10년 전과는 비교할 수 없는 디테일로 여행을 기록할 수 있다는 건, 언제 다시 이곳에 돌아올지 모를 여행자에게는 흐릿해질 기억을 선명하게 박제할 수 있는 절호의 기회였으니까.

똑딱이 카메라로 친구들을 찍어주던 학창 시절처럼, 여행지에서도 나는 사람들을 찍었다. 길 위에서 만나는 동료 여행자들, 여행지의 낯선 어린이들, 나에게 도움과 환대를 건네준 이웃들의 사진을 찍을 때마다 무거운 카메라 꺼내기를 주저하지 않았다. 길 위에서 만난 이들을 카메라로 찍고 나면 유창하지 않은 영어로 그들의 이름과 이메일 주소를 물어본 뒤 저장해 두었다. 다음 여행지에 도착하면 그들에게 사진 파일을 보내주기로 약속했기 때문이다. 생김새부터 언어까지 비슷한 것 하나 없는 이들과 연락을 주고받을 수 있다는 건 사진을 찍는 여행자가 누릴 수 있는 특권이자 행운이었다. 훗날 내가 사진작가가 된 데에는 카메라를 향해 환한 미소를 지어준 이들의 공이 크다. 그래서 종종 생각한다. 나의 첫 디지털카메라가 없었다면, 아니, 엄마가 나에게 카메라를 사주지 않았다면 하고 말이다. 인생에 만약은 없다는 걸 알면서도 가끔 상상해 본다.

나에게 사진은 어떤 의미일까? 문득 '진시황의 불로초'가 떠올랐다. 인간은 누구나 죽는다는 걸 알면서도 불로초를 찾아 헤매고 수은 중독에 빠졌던 진시황처럼, 나 역시 이 순간이 영원할 수 없다는 걸 알면서도 영구 박제하기 위해 사진에 집착해 왔으니 말이다. 한마디로 정의할 수 없는 나의 집착에 이름을 붙여보자면 선의의 거짓말 같은 맥락에서 '선의의 착각'이 어떨까. 순간을 붙잡겠다는 당찬 포부와 선의의 착각을 핑계로 사진관을 열었다. 이 순간이 영원하길 바라는 마음이 사람들 마음속에 보편적으로 존재하는 것이라면, 그들의 소중

한 순간을 사진으로 정성껏 남기는 일을 해보고 싶었다.

직업병인지는 모르겠지만, 삶에 우울감이 스며들면 사진이야말로 참 하찮고 별 볼 일 없고 세상 무의미한 것이 아닌가 싶은 순간이 찾아온다. 삶이 허무하다 보니 좋은 순간을 사진으로 담으려는 시도마저 허무한 노력으로 치부해 버리는 것이다. 하지만 그 지독한 회의감 속에서 매번 나를 구원하는 것 또한 다른 무엇도 아닌 바로 사진이었다. 오래전 찍어둔 사진들을 하나씩 넘겨보다 보면 이런 생각이 든다. '별거 아닌 사진 한 장으로도 삶이 즐거울 수 있구나'. 그렇게 생각하다 보면

'순간을 붙잡을 수 없다는 무력감' 끝에는 '순간을 붙잡는 척이라도 해보려는 선의의 착각'이 맞닿아 있고, 사실 그 둘은 애초에 하나였는지도 모른다는 낙관적인 결론을 믿게 된다.

오래전 뷰파인더 너머로 보았던 내 동창들의 얼굴을, 길 위에서 만난 여행자들의 미소를 하나씩 떠올려 본다. 그리고 마음을 다잡는다. 내가 사진을 사랑하기 시작한 건, 지금 이 순간을 사랑하기 때문이라고. 인생은 허무한 것이지만, 이 순간을 사랑하는 것 말고는 할 수 있는 게 없지 않냐고 말이다.

언젠가는 모두에게서 잊힐 이 순간이 영원히 기억되기를 바라며 셔터를 누른다. "그 바람은 현실적으로 불가능하지 않을까요?"라고 묻는 말에 "가능한 일만 꿈꾸는 건 아니지 않나요?"라고 답한 효리 누나처럼, 이길 수 없는 적과 싸우고 잡을 수 없는 별을 잡으러 떠난 돈키호테처럼.

음악은 기억을

겨울, 날이 흐리다. 곳곳에 남은 눈의 흔적들에 지금 당장 눈이 내려도 이상할 것 같지 않다. 로마에서 한국으로 돌아가는 길. 여행의 피로가 배인 옷과 신발. 경유지인 헬싱키 공항이다. 같이 내린 대부분의 승객들은 공항 밖으로 나가 새로운 여행을 시작하거나 가족들과 따뜻한 포옹을 하겠지. 나와 같은 처지의 스무 명 남짓한 사람들은 경유 게이트를 빠져나가 다음 비행기가올 때까지 기다려야 한다. 인천공항에도 펍이 있었나, 반짝이는 네온사인 장식을 단 작은 펍이 있다. 그 옆엔 기념품 샵. 무민의 나라답게 무민 캐릭터 소품들이 많다. 이제 의자에 자리를 잡는다. 서로 의논하지도 않았는데 다들 멀찍이 떨어져 의자 하나씩을 차지했다. 어떤 여자는 모로 누워 잠을 청하고 어떤 남자는 두 손을 모아 얼굴을 쓸어내린다. 모두 피곤이 내려앉은 모습이다. 친절함 속 거리가 느껴지는 장내 방송 목소리와 공항 특유의 퍼석이는 청결함. 그리고 가끔씩 라디에이터에서 들리는 치이이-하는 소리들.

지금쯤 그대는 몇 시를 사는지 오랜만에 먹는 아침이 가벼워진 나의 마음이 꽤 좋아 보여 느긋한 트램을 타고서 달리면 옆자리의 꼬마 아이도 좁은 골목길의 모습도 꼭 그림 같아 (시차)

에피톤 프로젝트의 《낯선 도시에서의 하루》 앨범이 재생되고 있다. 앨범 제목부터 여행을 의미하는 것 같아 늘 여행하는 기분으로 듣곤 했는데, 멀리 떠나온 이곳에서 듣는 음악에 내 여행의 기억이 새겨지고 있다.

누굴 만나기 위해 떠나온 것도 아니었고, 뚜렷한 목적이 있어서 시작한 여행도 아니었다. 그저 나의 지금을 기억하고, 내가 누구인지 생각해 보자고 시작한 여행에서 나는 어떤 답을 하고 있나. 다른 사람들의 여행 이유가 궁금하다고 생각했을 즈음 비행기에 탑승하라는 방송이 나왔다. 피로가 끌고 가는 걸음. 저 외국인은 왜 한국에 가는 걸까. 나는 어디로 돌아간다고 생각하는 걸까.

우연히 들은 소리를 괜히 흥얼대듯 무심코 접한 한 줄
의 글에 이끌리듯 손닿은 모든 것들이 시간에 바래지 않
길 (이제, 여기에서)

누군가 보고 싶은 것은 아니었지만 그래도 누군가
그리워하고 싶었던 그 시간들. 서른이 훌쩍 넘었어도

삶은 계속 바다 위 멀미 같은 거라고 생각했던가. 회색의 흐린 풍경, 여행을 음표로 만든 멜로디를 들으며 붙잡아지지 않는 상념에 빠져 잠이 들었던 기억.

매일 아침 눈을 뜬다. 휴대폰을 확인하고, 간밤의 뉴스나 이웃들의 피드도 잠시 들린다. 그러니까 매일 아침 눈을 뜨면 보기 시작하는 것이다. 이후로도 내내. 아마 내가 가장 많이 사용하는 감각은 시각이 아닐까. 그만큼 고마운 존재다. 시각은 편리하기도 하다. 눈꺼풀을 열면 볼 수 있고, 덮으면 보지 않을 수 있으니까. 반면 청각은 조금 난감하다. 듣고 싶은 것만 들을 수 없기 때문. 듣지 않으려면 섬세하게 귀를 막아야 하는데 그게 쉽지 않다.

하지만 누군가의 말이 아니라 음악일 때, 듣고 싶은 것만 들을 수 있는 게 아니라는 청각의 난감함 덕분에 기억으로 자주 불려간다. 길을 걷다가 들려온 옛 노랫소리에 누군가의 얼굴이 떠오르고 그때의 분위기와 냄새가 살아나는 것처럼.

오늘도 헬싱키 공항에 간다. 올해는 여름 내내 긴 비가 내리고 있다. 흐리고 습한 날씨에 에피톤 프로젝트의 음악을 켜면 '지금쯤-'하고 시작하는 첫 마디에 다시 불려 나오는 그날, 공항의 풍경과 그날의 나, 내가 했던 생각들. 어디 적어둔 적도 없는 그 기억들이 오늘도 소환된다. 진짜 보고 들은 것인지, 내가 봤거나 들었다고 믿는 것인지.

불려 온 기억은 점점 환상이 되어가는지도 모른다.

아직은 멀기만 한 나의 시간이 졸린 눈을 비비게 해도 스쳐 가는 많은 것들을 다 끌어안고 (시차)

---

* 혹시나 이 글을 읽고 에피톤 프로젝트의 《낯선 도시에서의 하루》 앨범을 들어보겠다고 생각한 사람이 있다면, CD1은 반드시 트랙 순서대로 처음 곡부터 끝 곡까지 듣기를 추천합니다.

피렌체로 떠나는 시간

　"언니 음악 듣고 있지?" 우리 삼 남매는 몇 년째 음악 앱을 공유하고 있다. 주로 듣는 시간대가 달라서 충돌하는 법이 없지만 가끔 한 번씩 겹칠 때마다 쟁탈전이 벌어진다. 여동생은 듣고 싶은 음악을 한 곡, 한 곡 저장해 두었다가 듣는 큐레이터 파, 남동생은 좋아하는 가수의 앨범을 통째로 듣는 앨범 파, 나는 질릴 때까지 한 곡을 무한 반복해서 듣는 한 곡 재생 파다.

　한 달 넘게 나의 재생 목록에 안착한 노래는 칸초네(Canzone, 이탈리아 노래) '일 몬도(IL MONDO)'다. 내가 태어나기 30년 전, 1963년에 발매되었는데 영화 <어바웃 타임>에서 주인공인 팀과 메리의 결혼식 입장곡으로 처음 들었다. 이 곡은 오래된 시골교회에서 매혹적인 빨간 드레스를 입고 등장하는 메리와 폭우 속 야외결혼식을 로맨틱하게 만들어 주었다. 만약 내가 결혼

한다면 결혼식 입장곡으로 주저 없이 선택할 정도로 가사와 음악이 매력적이다. 나는 유럽 근처에도 가보지 못했고 더군다나 이탈리아어는 한마디도 하지 못하지만 이 노래 덕분에 칸초네를 부르게 되었다. 유명한 곡이라 여러 가수가 리메이크했는데 원곡자인 지미 폰타나와 이탈리아 팝페라 가수 일 볼로가 부른 버전이 가장 좋았다. 눈을 감고 듣고 있으면 이탈리아 한가운데 있는 것 같았고, 이 곡 덕분에 가본 적도 없는 이탈리아는 나에게 사랑과 낭만이 가득한 나라가 되었다.

그렇게 열병을 앓다가 이탈리아 여행을 떠났다. 땅을 파는 곳마다 유적지가 나와서 지하철 개통을 못하고 있는 로마, 르네상스의 발상지인 예술의 도시 피렌체, 로미오와 줄리엣의 배경인 베로나까지 모든 도시의 풍경이 그림 같았다. 그중에서도 가장 아름다운 곳이 바로 피렌체였다. 누구라도 이곳에 오면 사랑에 빠질 것 같았다. 그 중심에는 우리에게 두오모 성당으로 익숙한 산타 마리아 델 피오레 대성당이 있었다.

아름다운 성당이지만 내부는 겉모습만큼 낭만적이지 않았다. 성당 꼭대기로 올라가는 길은 두 사람이 간

신히 지나갈 수 있을 정도로 좁았고 500개의 계단이 빽
빽하게 들어서 있었다. 게다가 올라가는 길은 많은 관
광객으로 인산인해를 이뤘다. 땀방울이 턱밑으로 떨어
질 때쯤 빛이 보였다. 밖으로 나가자마자 노을 진 하늘
과 호수의 잔잔한 물결 같은 벽돌집들이 펼쳐졌다. 주
황빛 집들 사이사이로 빨랫줄에 걸려있는 새하얀 이불,
좁은 골목길을 따라 움직이는 사람들, 그 속에서 하루,
하루 살아가는 사람들의 삶 자체가 예술이었다. 한국에
서 닳도록 들었던 그 노래를, 붉은빛으로 물드는 피렌
체의 풍경을 보며 다시 들었다. 수백 번도 더 들었지만
이곳에서 들으니 감정이 벅차올랐고 한 편의 영화를 보

는 것 같았다.

제 주변에, 언제나 그렇듯

이 세상은 여느 때와 같이 돌아가고 있어요.

돌아요, 세상은 끝없는 우주에서 돌고 돌아요.

방금 시작한 사랑도 있고 이미 끝난 사랑도 있어요.

나처럼 사람들은 기뻐하고 괴로워도 하죠.

세상은, 단 한 순간도 멈춘 적이 없어요.

낮이 가면 밤이 항상 따라오죠.

그리고 또 하루가 밝아와요.

500년 전에 만들어진 성당과 건물, 이 도시에도 어김없이 낮과 밤이 번갈아 찾아왔을 테지만 시간이 멈춘 것 같았다. 어느덧 5년이라는 시간이 지나 이탈리아 여행 기억이 가물가물해졌지만 눈을 감고 노래를 들으면 피렌체의 풍경이 진하게 그려진다. 그보다 더 중요한 것은 그때의 설레는 감정 그리고 내게 새겨진 행복의 흔적이다.

삶의 나이테,
여행

　나무의 성장에 대한 다큐멘터리 영상에서 나이테에 대한 설명을 들은 적이 있다. 우리가 대부분 알고 있듯, 나무의 나이테는 보통 1년에 하나씩이어서 그것으로 나무의 나이를 가늠해 볼 수 있다. 그러니 나이테는 나무가 자신의 몸에 기록한 일기와 같은 것. 이것이 쌓여 1년의 매듭을 만들고 다시 다음 해로 나아가며 여정이 계속되는 것이다. 다큐를 보면서 여행도 비슷하다고 생각했다. 반복되는 일상에서 어떤 주기로 삶을 매듭지어 보고, 앞으로의 삶을 결심하거나 의지를 다져보기도 하는 것. 그런 의미에서 여행은 그 자체로 내가 어떻게 살아가고 있는지를 내 삶에 기록하는 하나의 방법이 된다.

　나이테에서 연한 색의 두꺼운 부분을 춘재라 하고, 짙은 색의 선처럼 얇은 부분을 추재라 하는데, 춘재는 따뜻한 기온에서 나무가 생장한 부분이고, 추재는 춥고 척박한 환경에서 나무가 시련을 겪은 흔적이라고 한다. 그래서 우리나라처럼 사계절이 있는 나라에서는 비교적 규칙적으로 춘재와 추재가 반복되지만 따뜻한 기후에 사는 나무들은 나이테가 잘 안 보이기도 하고, 춥고 척박한 땅에 사는 나무들은 나이테가 더 촘촘하기도 하다고.

이런 설명을 듣다가 다시 나의 떠남에 대해 떠올렸다. 여행이 내 삶의 나이테라면 어떤 시기는 잔잔해서 살 만하고, 그래서 떠나고 싶다는 생각을 하지 않은 채 보내기도 하지만, 어떤 시절은 너무도 처절해서 얼른

이 순간을 넘기고 어디로든 가자고, 가서 나만의 숨을 내쉬어 보자고 생각하는 것이다. 내 삶의 춘재와 추재랄까.

태어나서 살아온 인생의 언제부터를 나의 자아라고 불러도 좋을까. 매일 흘러가는 시간 안에서 함께 흐르며 잘 살아가다가도 잠이 오지 않는 밤이나 책을 읽다 문득 진짜 나는 무엇인가에 대해서 생각하는 사람이 여기 있다. 중학교 도덕책에서 처음 만난 '자아 정체성'이라는 단어는 그때부터 지금까지 종종 생각의 돌부리가 되어 나를 걸려 넘어지게 만든다. 또 짐 캐리가 주연한 '트루먼 쇼'를 보고 나선 가끔 생각하기도 한다. 누군가 내 삶을 보고 있는 것은 아닐까, 지금 이 모든 삶은 가짜지만 아무것도 모른 채 살아가고 있는 것은 아닐까. 이처럼 내 삶이 내게서 조금 멀어지는 순간, 여행의 욕망은 피어올랐다. 시간에 붙들려 살아지거나 살아내는 나를 매듭짓고, 살아가는 내가 되기 위해서 뭘 해야 할까 싶어지는 순간 말이다.

처음 서른이라는 나이를 맞이하게 되었을 때, 어제와 다르지 않은 오늘이었음에도 뭔가 달라져야 한다며 혼란스러웠다. 나만 느끼는 감정은 아닐 거라고, 그러니 김광석의 '서른 즈음에' 같은 노래도 있는 거라고 생각했지만 쉽게 나아지지 않았다. 이제는 좀 더 어른스러워져야 한다는, 지난 이십 대보다 더 철두철미해져서 실수하지 않는 사람, 헤매지 않고 척척 걸어 나가는 사람이 되어야 한다는 부담감. 나는 새해를 맞이할 엄두가 나지 않았다. 그래서 멀리 가보는 여행을 하기로 했다. 그동안은 가까운 일본이나 홍콩을 짧은 일정으로 다녀왔지만, 처음으로 열두 시간을 날아 유럽이라는 다른 세계에 도착한 것이다. 열흘이 넘는 일정. 언어나 인종에 대한 걱정을 넘었듯 앞으로의 삶에서도 더 큰 발짝을 뗄 수 있을 거라고 나 자신에게 마음으로 말해보는 여행. 루브르에서 오르세로, 다시 퐁피두 센터로 중세부터 21세기 미술이 이어지듯이 나의 20대도 30대로 나아갈 거라고, 18세기에 지어진 버킹엄 궁전에서 지금까지 계속되는 근위병 교대식처럼 어떤 본질은 변하지 않고 계속 나를 지켜줄 거라고, 여행에서 보고 들은 것들을 내 삶에 연결 지으며 나만의 의미를 찾고자 했던 순간들이었다.

지금은 다시 10여 년의 시간이 흘렀다. 그때 목을 조여오는 것 같았던 생의 부담감은 여전하지만 이겨내지 못해 도망쳐야 할 만큼의 크기는 아니더라고, 어느 날은 버티고 어떤 날은 잠시 숨기도 하면서 빠르지는 못해도 또박또박 걸어가지더라고, 그때의 나에게 말해줄 수 있을 만큼의 나이테는 내게도 새겨진 것 같다. 아직도 가야 할 길은 멀고 자연사까지 남은 시간도 많을 터라 또 어느 순간에는 '진정한 너는 누구냐'는 물음에 넘어지기도 하겠지만, 넘어지면 일어나서 까진 무릎에 연고를 바르고 반창고를 붙이면서 걸어갈 수 있다는 걸 안다. 그리고 또 떠나 새로 경험하는 시간에서 나와 삶을 다시 찾아오면 되는 것이다.

　이 시간을 지나고 있는 나라는 사람 안에 여러 개의 나이테가 있다. 그 시간들이 지금 여기, 나의 부피와 질량을 만들었다. 그렇게 믿고 있다.

🌳

에필로그

    짧게는 올해 다녀온 여행부터 길게는 9년 전 기억까지 끄집어냈다. 너무 오래전 일이라 기억에서 사라진 줄 알았는데 하나, 둘씩 꺼내고 보니 줄줄이 사탕처럼 나오기 시작했다. 그때의 일이 좋았든, 나빴든 기억 저 편 어딘가에 잠식해 있었다. 그 기억을 떠올리는 작업은 무척이나 즐겁고 행복했다. 글을 쓸 때마다 라오스, 태국, 이탈리아, 강화도로 다시 여행을 떠나는 기분이었다. 여행의 향수로 <IL MONDO>를 다시 무한 반복해서 듣기 시작했고, 방콕에서 먹었던 팟타이를 떠올리며 동남아 음식점을 찾게 되었다. 여행에 대한 기록은 일상에서 그때의 여행을 다시 경험하게 한다.

    <여행은 쓰기 나름이니까>는 지극히 개인적인 이야기지만 또 여행에서 누구나 겪을 수 있는 지극히 보편적인 이야기이기도 하다. 이 글을 읽는 당신도 기억

속 여행을 꺼내서 잊어버리기 전에 그때의 경험을 한 줄이라도 남겨놓길 바란다. 시간이 지나 여행이 그리워 질 때쯤 이 글을 핑계 삼아 당신의 추억을 회상해 보면 어떨까.

2023년 9월, 모도리

. . . .

원고 작업을 모두 마무리하고 나니 문득 이런 생각이 들었다. 일기장에 계속 보관한다 한들 달라질 것 없는 나의 오래된 여행을 나는 왜 굳이 책으로 기록하고 싶었을까? 나, 알고 보니 관종이었나? 책 한 권 내보고 싶은 욕심이 너무 과했던 걸까? 하는 생각들 말이다. 세 사람의 원고가 모두 완성되고 마침내 책 제목이 정해지고 나니, 그제야 나는 풀리지 않은 질문의 답을 비로소 찾은 듯 홀가분한 기분을 느꼈다. 그래 맞아, 여행은 쓰기 나름이지. 지옥 같았던 나의 첫 여행도 이렇게 글로 정리해 놓으니 청춘영화 속 낭만적인 한 장면처럼 느껴질 정도니까. 어쩌면 나는 절대로 다시 돌아가고 싶지 않은 나의 20대를 조금이나마 아름답게 회상하고 싶었는지도 모르겠다.

내가 만약 첫 책을 출간하게 된다면 그 책은 어떤 모습일지 자주 상상하곤 했다. 표지 디자인은 얼렁뚱땅, 내지에 담긴 글도 중구난방에다가 온갖 비문이 가득해서 어설프기 짝이 없는 모습이었겠지. 놀랍게도 이 책은 전혀 얼렁뚱땅하지 않고 예쁜 데다가 심지어 깔끔하기까지 하다. 이게 다 혼자가 아닌 여러 사람이 힘과 마음을 모은 덕분이라고 나는 믿는다. 마지막으로, 책 <여행은 쓰기 나름이니까>를 만들기 위해 애쓴 이들을 비롯해서 언젠가 이 책을 읽게 될 이들 모두가 '언제든 떠날 수 있고' 또 '언제고 돌아올 수 있기를' 진심으로 바란다.

2023년 9월, 셔터맨

. . . .

뜨거운 여름이 끝을 향하고 있다. 여름이 시작하며 쓰기 시작한 글들이 이럭저럭 꼴을 갖추어 활자 박힌

종이가 된다니 놀라울 따름이다. 드문드문 어딘가에 일기 같은 글을 써보긴 했지만, 이렇게 대놓고 누군가에게 보여주기 위한 글을 쓰는 건 처음이라 매 순간이 나와 머리끄덩이를 잡고 하는 싸움 같았다. 그래서 시작할 때 신나고 들뜨던 마음과 달리, 끝이 보이는 지금은 걱정되는 마음이 크다.

삶은 '살아가는 것'이라고들 한다. '살아가다'라는 말을 들여다보면 '가기'만 하는 일 같지만, 이만큼 살고 보니 삶은 '가기'만 하는 것이 아니라 '돌아오기'도 하는 일 같다. 저 높은 곳에서 바라보면 결국 어디론가 '가는' 중이겠지만, 나는 조금 갔다가 조금 돌아오기를 반복하며 나아가고 있다.

돌아오는 일은 마음이 참 어렵다. 부지런히 가기만 해도 다른 사람들의 속도나 보폭과 비교할 때 뒤처지는 느낌을 받는데, 가던 길이 잘못되어 다시 돌아와야 한다니……. 그럴 때 여행을 떠났던 것 같다. 도망쳐 숨고 싶어서. 괴로움을 잠시 피하기 위한 선택이었지만 지나고 보니 그 여행들은 나에게 생긴 일들을 정리해 보고, 어떻게 다시 나아갈 것인지를 생각할 수 있게 해주는 시간이기도 했다.

그래서 이제는 잘 돌아오는 일에 대해 생각한다. 어차피 내가 하는 선택들이 모두 옳을 수는 없으니 언제든 돌아올 수 있다는 것을 마음에 품고 그 과정에도 의미를 찾을 수 있도록. 그것의 일환이 이 글쓰기 작업이었다. 글을 쓰면서 지난 삶을 돌아보고, 잊고 있던 시간의 의미를 생각해 볼 수 있었다. 그 과정을 도와주신 글쓰기 선생님 한수희 작가님, 낯설여관 203호와 204호 사장님들, 함께 배우며 써나간 모서리 기록단 2기 분들께 감사의 인사를 전하고 싶다.

2023년 9월, 송송

여행은 쓰기 나름이니까

세 명의 여행자, 세 가지 쓰기에 대하여

초판 1쇄 발행   2023년 10월 28일

지은이   모도리, 셔터맨, 송송
교정·교열   한지혜
일러스트   김연제
디자인   이종훈

발행인   우선식
펴낸곳   낯설여관
주소   경기도 수원시 장안구 영화로71번길 33, 2층
출판등록   2021년 2월 9일 제2021-000020호
인쇄·제본   올인피앤비

인스타그램   @ridinn.book
이메일   ridinn.official@gmail.com

ISBN   979-11-977924-2-7 03810

* 이 도서는 경기콘텐츠진흥원 '글쓰기창작소' 사업의 지원을 받아 제작되었습니다.
* 이 책의 본문은 '을유1945' 서체를 사용했습니다.